吳靜吉博士策劃

大眾心理館

409

每冊都解決一個或幾個你面臨的問題
每冊都包含可以面對問題的根本知識

大眾心理館 409
洪蘭作品集 9

理所當為：講理就好 9
——成就公平正義的社會

作　　者——洪蘭博士
策　　劃——吳靜吉博士
主　　編——林淑慎
特約編輯——陳錦輝

發 行 人——王榮文
出版發行——遠流出版事業股份有限公司
臺北市 100 南昌路二段 81 號 6 樓
郵撥／0189456-1
電話／2392-6899　　傳真／2392-6658
法律顧問——董安丹律師
著作權顧問——蕭雄淋律師
2011 年 1 月 1 日　初版一刷
2012 年 1 月 16 日　初版六刷
行政院新聞局局版臺業字第 1295 號

售價新台幣 260 元（缺頁或破損的書，請寄回更換）

ISBN 978-957-32-6779-9
ylib 遠流博識網
http://www.ylib.com　E-mail: ylib@ylib.com

洪蘭作品集9

講理就好9

理所當爲

成就公平正義的社會

洪蘭博士◎著

《大眾心理學叢書》

出版緣起

王榮文

一九八四年，在當時一般讀者眼中，心理學還不是一個日常生活的閱讀類型，它還只是學院門牆內一個神秘的學科，就在歐威爾立下預言的一九八四年，我們大膽推出《大眾心理學全集》的系列叢書，企圖雄大地編輯各種心理學普及讀物，迄今已出版達二百種。

《大眾心理學全集》的出版，立刻就在台灣、香港得到旋風式的歡迎，翌年，論者更以「大眾心理學現象」為名，對這個社會反應多所論列。這個閱讀現象，一方面使遠流出版公司後來與大眾心理學有著密不可分的聯結印象，一方面也解釋了台灣社會在群體生活日趨複雜的背景下，人們如何透過心理學知識掌握發展的自我改良動機。

但十年過去，時代變了，出版任務也變了。儘管心理學的閱讀需求持續不衰，我們仍要虛心探問：今日中文世界讀者所要的心理學書籍，有沒有另一層次的發展？

在我們的想法裡，「大眾心理學」一詞其實包含了兩個內容：一是「心理學」，指出叢書的範圍，但我們採取了更寬廣的解釋，不僅包括西方學術主流的各種心理科學，也包括規範性的東方心性之學。二是「大眾」，我們用它來描述這個叢書的「閱讀介面」，大眾，是一種語調，也是一種承諾（一種想為「共通讀者」服務的承諾）。

經過十年和二百種書，我們發現這兩個概念經得起考驗，甚至看來加倍清晰。但叢書要打交道的讀者組成變了，叢書內容取擇的理念也變了。

從讀者面來說，如今我們面對的讀者更加廣大、也更加精細（sophisticated）；這個叢書同時要了解高度都市化的香港、日趨多元的台灣，以及面臨巨大社會衝擊的中國沿海城市，顯然編輯工作是需要梳理更多更細微的層次，以滿足不同的社會情境。

從內容面來說，過去《大眾心理學全集》強調建立「自助諮詢系統」，並揭櫫「每冊都解決一個或幾個你面臨的問題」。如今「實用」這個概念必須有新的態度，一切知識終極都是實用的，而一切實用的卻都是有限的。這個叢書將在未來，使「實用的」能夠與時俱進（update），卻要容納更多「知識的」，使讀者可以在自身得到解決問題的力量。新的承諾因而改寫為「每冊都包含你可以面對一切問題的根本知識」。

在自助諮詢系統的建立，在編輯組織與學界連繫，我們更將求深、求廣，不改初衷。

這些想法，不一定明顯地表現在「新叢書」的外在，但它是編輯人與出版人的內在更新，叢書的精神也因而有了階段性的反省與更新，從更長的時間裡，請看我們的努力。

理所當爲

講理就好9

【目錄】

第2篇 育與教

第3篇 人與我

第4篇 腦與心

第5篇 學與習

第6篇 家與國

推薦序

情歸斯土斯民——洪蘭為所當為

余範英

正義原則要想在一個社會中通行，關鍵是人們能否接受它、相信它，它牽涉到道德心理學和正義感的形成。如果眾人沒有正義心理的氛圍與文化環境，則正義原則就不可能被接受，遑論公平。（節錄自約翰‧羅爾斯〔John Rawls〕的「正義即公平的相對穩定性」）

認識洪蘭是在二〇〇一年底誠品的書架上，剛出版的新書《講理就好》是評論與專欄的結集，書名立刻引起我的注意。當時尚在中國時報服務的我看到台灣社會每到一個轉型階段，因急速發展充斥對權勢和機巧的妥協，功利思維擴張壓縮了視野的寬廣，抹殺對人、對環境的尊重與珍惜，意識形態在認同分歧下，不斷被分類被選邊內耗，公共論述式微，報導與評論大幅壓縮，理性精神蕩然無存，知識分子虛幻漂浮，一個「亂」字了得。《講理就好》是一帖清涼劑，洪蘭清新而敏銳的觀察，以認知心理學者淺顯的文字為社會亂象與迷思做深刻剖析，以紮實的醫學背景就不同的科學案例描述人生百態與沉痾，包容與化解社會怪戾之氣，簡而易懂的講究竟說道理，使我眼睛為之一亮。一通電話寄上我的仰慕，邀約共同籌劃「公與義與理性空間」研討會為教育分組的召集人，結緣因此開始。

洪蘭主張每個世紀賦予人不同的事物，不同的挑戰，在資訊科技的時代，資訊增加了一倍又一倍，科技進步縮短了地域的距離，但並沒有縮短人心理的距離，唯有人類一些不變的價值觀才能穩定這「忙」和「亂」的社會，方能「亂中有序」。她推動閱讀、落實生命教育、培養創造力，與曾志朗一起推動教改，認為「教化」是要活用生活上的智慧，而不是書本上的死知識。十多年來，她翻譯心理學、認知科學叢書，寫專欄、做巡迴演講、培育邊遠地區志工服務團，推動終生學習，她積極的作為將一天當兩天用，是投入公益、追求有意義的生命的實踐者。她在中央大學成立認知科學研究所，做田野調查、做實驗追蹤，引進世界新觀念，洪蘭言行一致，熱情積極，熱愛從事科學研究，熱情實踐教育推廣，在科學驗證裡投入知識分子的社會參與，堅持人性良善的基本價值，渴望建立互助互信、各盡所能、各取所需的社會，在選舉與政治暴力語言充斥下，找回對心靈平靜的嚮往。

洪蘭之怒，我有過現場經驗，那是中國大陸希望小學的全國年度聚會，曾赴海南島一同出席。崇尚教育與學術無國界的她，是早期參與推動大陸教育普及的海外熱心人士，也是近二十年來國際、海峽兩岸研討會爭相邀約的學者。當天，她主講的是認知心理學、腦科學與中小學教育的新概念，七、八百人的大講堂，坐滿來自全國及當地的中小學校長及教師們。先進的腦科學研究及發展，在一張一張投影片的解析下，一個接一個的研究案例和世界先進國家教學實驗成果，殷允芃和我在台下全神貫注，是新知的震撼，是內容的紮實豐富，是洪教授竭盡心智的傾囊相授，是仔細講解的感動，我們都正襟危坐地聽著。然大陸有些朋友們乖乖地坐了半場，後半場就開始騷動起來，有接電話的、聊天的、另開講的，都坐不住了。突聽洪教授一聲：「請不要講話！」「請尊重我的演講，也請尊重其他在場聽演講的朋友，我遠道而來為每一張投影片都花了數小時和過往許多的經驗和研究，更不要說其他學者多年累積的研究成果，希望能與你們分享、對你們有貢獻。我不厭其煩唇乾舌燥的講，如果你沒有興趣，干擾了別人也不尊重我，請你們出去！」果不其然後來在台灣也碰到課堂吃雞腿這般不知她辛勞和熱血的學生，她始終如一的真性情傳授方式，終究是為社會大環境能培育更多有心有使命感的下一代的自我驅使與用心。

腳到心到手到，落足於台灣各角落，由偏遠地區、原住民部落、監獄更生人輔導專案，力行羅爾斯的差異原則，盡最大程度的幫助改善「最不利者」群體的利益。十行稿紙寫不斷，篇篇專欄一字一句，她累積的《講理就好》已是進入第九本，十數個年頭，熱切不變的心，參與愈深刻的她開始對這國與家也有獨到見地，犀利如舊，她開始也有了她的政論，她說：一個政府若要有領導力，它的組織一定要了解核心使命是甚麼，知道了，了解了，才會去實踐，而組織必須完成使命，否則就像沒舵的船，無所適從。她引用美國前國務卿鮑爾之言說：「使命使人力爭上游。在政府機關中，執政者的理念一定要先明確說出來，使它變成執行者的使命，上令才會下達。使命必須貫徹到組織的各個層級，讓每個公務員都了解政府在想甚麼。使命必須清楚、直截了當、簡單易懂。最重要的是，使命必須可以達到、讓執行者可以完成。一個政府只有得到所有人民的信任，人民才會追隨你。」她鼓勵公民社會的參與是一種態度，必須主動積極，而不是坐著等別人分配，天下沒有白吃的午餐，要享受民主就要盡民主社會公民的義務，參與不置身事外，不姑息養奸，人間應有正義。要享受自由就要盡自由社會公民的責任。如不參與就不可批評做的人，因你已棄權了，為此她跑斷腿也要為「公與義」伸張盡力。

從《講理就好》到《理所當為》，洪蘭力行她的堅持，走過她的學習，挑起她的責任，源自她出身一個清苦而紮實的家庭，父母的身教形塑了她的品德。母親常說只要肯學沒有甚麼學不會，挑水下田，支持六個女兒自立於社會，勤奮與節儉常反映在她的穿著與樸實的背包身影中。她摯愛的父親在送她赴美求學時，傳授半生南洋生活的血淚體驗，在別人的國家要認命，碰到挫折是本分，不要抱怨才有時間把精力花在解決問題上，為保存民族文化要有理想有風骨，所以洪蘭認為人一生總要做些有意義的事，為所當為。

能為洪蘭寫序，重新檢閱她過往的文章和閱讀她的心路歷程，回顧她走過的點點滴滴，尊敬她的認真與執著，深慶得交益友，也注入我等對社會尚有期待的熱情與勇氣。

【推薦者簡介】余範英，美國史丹福大學理學碩士及企管碩士，現任余紀忠文教基金會董事長、華英文教基金會執行長、史丹福學術基金會董事長、行政院國家永續發展委員會國土規劃召集人。資深報人，曾任中國時報文化事業集團副董事長，工商時報和中時晚報發行人。著有《大河的故事——淡水河之歌（續篇）》等書。

自序

追求有意義的成功人生

這本書收集的主要是二〇〇九到二〇一〇年間在聯合報、國語日報及天下、遠見等雜誌所寫的專欄。回顧這兩年來社會的變遷，深感生活越富足，人的精神層次越空虛，尤其年輕人越來越不知道自己的人生要做什麼。智育掛帥的結果是我們教育出來的大學生不但沒有「士」的精神，連做人都不會了。從比中指、擋救護車的台大博士生，不讓座還打人的清大學生，撿到同學的錢要求留置金的成大學生，到在旅館床上點蠟燭為女友慶生，卻把旅館燒掉的交大學生，讓我們看到精英大學的學生連基本的做人做事道理都不懂。這是國家的隱憂，因為品德是立國之本。

十九世紀英國的政治家山謬・史邁爾斯（Samuel Smiles）就說：「一個民族若是缺少了品格的支撐，就可以確定它是下一個要滅亡的民族。」宗教改革家馬丁・路德（Martin Luther）更說：「一個國家的前途決定於它人民教育的程度及品格的高下。」寫《神曲》的但丁（Dante Alighieri）甚至在八百年前就看到了「道德可以彌補智慧的缺點，智慧永遠沒有辦法彌補道德的空白」。當台大法律系教育出來的精英中的精英現在在監獄中服刑時，為什麼我們還是看不到品德教育的重要性？還在追求考試一百分？

另一個國家的隱憂是我們的孩子不快樂，雖然大部分台灣的孩子衣食無缺，但是心裡的感覺是不幸福的。兒福聯盟最近請孩子用一個詞來描述他的家庭，結果孩子寫出的是：我家像壓力鍋、我家是核爆廠、我家像監獄、我家是地獄、我家冷冰冰、我家像旅館、我像流浪狗……這些令人觸目驚心的字眼，竟然出自國民所得高達一八六〇三美元的未來主人翁口中，國家的前途怎麼不令人擔憂？

一個社會是否幸福不在它的國民所得和經濟能力，而在社會的和諧與家庭的溫暖。最近社會關注的霸凌事件其來已久，只是沒有上報而已。幸福社會的基本條件是社會的公平正義，文明社會應該盡量使生命是一場公平的競爭，顯然，我們的社會還差得很遠。

過去，我們一直把成功定義為「賺大錢」，為賺錢，可以不擇手段。這是一個錯誤的定義，因為永遠有人錢比你多，事業比你大。現在許多企業家開始回歸到孔孟思想，用四書五經的道理來經營企業，表示有識之士已看到了錢越多、精神越空虛的危機，既然半部《論語》可以治天下，那麼，現在用一部《論語》來管理公司看看。物極必反，中國社會在經過五四運動、打倒孔家店後，又回到孔孟學說的「誠信」上，是一個轉機，因為沒有誠信的快樂是短暫的、地位是虛假的、競爭是必敗的。

若是我們將成功定義為「有意義的過一生」，那麼考一百分、擠明星學校窄門的壓力立刻減低，因為每個人對他如何有意義過一生的看法是不一樣的，這個定義會使每一個人天賦的能力能夠從升學主義的桎梏中解放出來。

社會的改變必須從人的改變做起，而人的改變必須從思想教育做起。家庭是最早的教育場所，教改一定要從父母的觀念改變起，讓父母看到出社會後，念什麼大學、考第幾名不重要，重要的是服務的熱情與敬業的態度。我們更要讓老師看到教育應該為學生出社會做準備，當企業需要的是德智體群美兼顧的人才時，不要還在用分數判定學生的高下。英諺「父母對孩子的態度決定他的命運」是很對的，一九六九年，塞利格曼（Martin Seligman）「習得的無助」的實驗到現在還是經典，不要使天真爛漫的孩童進入學校，經過我們教育制度的蹂躪後，出來變成沮喪無助、憤世嫉俗的青年。目前基本學力測驗的沒有區辨力，錯一題可以從第一志願掉到第三志願是學習痛苦的元兇。

制度是死的，人是活的，只要人的觀念改變，願意跳出傳統「成功」的窠臼，孩子是可以幸福的。現在越來越多的父母不願孩子再蹈自己的覆轍，受他所受過的苦，願意用欣賞的眼光去看他的孩子，願意用「讓他有意義的過一生」來引導孩子性向的發展，是一道曙光，讓我們看到希望。

西諺說得好：「沒有人可以做所有的事，但是每個人可以做一些事。（No one can do everything, but everyone can do something.）」我們可以從自己身邊做起，不要求立竿見影，抱著做多少算多少的心，集腋成裘、聚沙成塔，只要堅持做下去，總有成功的一天。「行遠自邇，登高自卑」，不走，永遠到不了，走了，總有一天到達。希望，帶給生命力量。

最後，一本書的出版，背後一定有很多人的努力，我很感謝李珀校長、張杏如執行長、李志勳、邱白伶、孫智秀、楊慰芬、蘇玉枝等好友，讓我不上菜場而有飯吃。還有一個人，不想感謝又不得不感謝，那就是我先生，他不幫我做家事，但也不叫我做家事（要來我家得三個月前預約，讓我有時間打掃），使我可以把洗碗、擦地板的時間拿來寫文章。

人生要做自己想做的事，因為人不可能什麼都有，所以如何選擇很重要。不過，無論選擇的標準是什麼，只要它是有意義的，這一生就沒有白過了。

第1篇

德與行

人不是理性動物，常會貪小作假，
但是只要提醒他誠實，
就可以對抗誘惑。
許多有關品德的格言，
現在有科學實驗證實，
它不只是空洞的口號而已。

德與行

1 生前一粒豆，勝過死後一束花

清明去掃墓，一路擁塞到墓地，看著人們扶老攜幼去祭祖，心中一方面頗感欣慰，這是中國人慎終追遠的好傳統；另一方面也在想，既然人自出生後，Tax and Death（納稅和死亡）是不可避免的，那為什麼大家要忌諱死亡呢？不可避免，就表示一定會來，何不未雨綢繆，讓生者與死者都無憾呢？

美國麻省春田市的法院廣場一角，有個擦鞋匠班吉明，他原是著名餐廳的領班，因為洗腎，不得不辭去工作，以擦鞋糊口。他很尊重自己的行業，衣著永遠整齊，穿著便裝西裝（sports jacket），胸前口袋放著絲質手帕，頭戴法式軟帽，每天非常開朗的與人打招呼。沒有人知道他是靠洗腎維持生命的，所以當他決定不再洗腎的消息傳出去後，有一百多人湧進他的病房，川流不息地去探望他，跟他道別，使醫院不得不給他換單人病房以免打擾到別人。其中一個探病者是當地的法官，十多年來，法官的鞋子一直是班吉明擦的，他們已經變成朋友了。

法官說：「想到班不能再在街口迎接我，微笑的打開我新的一天，我就很難過。世界上有些人是隨便走到哪裡就把陽光帶到哪裡，他就是那種人。每次看到他，我都希望自己能像他一樣，把溫暖帶給別人，現在他要辭世了，我一定要來讓他知道他對我有多重要，這個世界有他有多好。」

另一個人說：「只要能接觸到他所接觸人群的十分之一，我在這個世界上就沒有白活了，他真誠的心豐富了許多人的心田。」記者說班吉明因長期洗腎而失去光澤的皮膚，因人們的探望變得如黑檀木一樣光亮，三天後他含笑而終。

這則外電報導本來不甚起眼，但是它是生命教育的好例子，人若無憾，就不需要害怕死亡。生命無貴賤，只要活得有意義就好。什麼叫意義？這世界曾經因為有過你而不同，你活得就有意義了。

美國每一年聖誕節時，電視台都會重播一部一九四六年的老電影《風雲人物》（*It's a Wonderful Life*），它雖然是黑白片，但每次看每次令人感動。故事是講聖誕節前夕，一個年輕人不慎遺失了信用合作社要還貸款的錢，還不出錢，合作社會破產。走投無路的他選擇跳水自殺，因為他認為只有血才能洗清名譽的污點，結果他的守護天使救了他，帶他觀看假如這個世界沒有他會是什麼樣子。他才發現自己在不知不覺中影響了每個接觸過他的人，改變了他們的生命。

我們每個人無時無刻不在影響別人，也被別人所影響，我們應該時刻警惕自己這一點。

其實，葬禮是做給活人看的（人死了，還管什麼死後哀榮？），何不在還活著時，讓他感受到自己生命的價值呢？「生前一粒豆，勝過死後拜豬頭」，在親友的溫情中離世絕對勝過死後的盛大追思，我們應該乘人還活著時去探望他，不要等死後送上一束花。

人生最痛苦的莫過「遺憾」二字。想想自己有多少親友很久無音訊了，去看看他們吧！

德與行

2 自己怎麼看自己才重要

在高鐵上碰到一個朋友，他若不叫我，我根本認不得他了，因為他憔悴了許多。一年前遇見他時，他意氣風發，告訴我金融風暴時要不是他公司早就垮了。他連去休個假都不敢，因為他是個不可缺的人。想不到屆齡退休時，公司沒有留他。他一直以為不出三個月老闆一定會求他回去，結果公司照樣運轉，旭日照樣東昇。他苦笑著說，雖然生活沒有問題，但是沒有名片、沒有頭銜，他什麼都不是，連自己是誰都不知道了。

我很擔心他這樣下去會得憂鬱症，也很感嘆為什麼一個人沒了工作，就連自己是誰都不知了？自己本身的價值還在不是嗎？剝奪掉職稱並未剝奪掉這個人的核心價值，為什麼就喪失了自我認同呢？難怪心理學上有一句話：「你對你自己的看法，成就了別人眼裡的你。」一人對自己的看法竟然有這麼大的關係，這使我想起一個實驗。

一九七九年哈佛大學有位教授找了十六位八十歲以上的老人，分成兩組，請他們到一間古老的修道院住一個禮拜。在那裡，實驗者把時間撥回到一九五九年，一切擺設是當時的流行，收音機播放的是納京・高（Nat King Cole）唱的〈蒙娜麗莎〉、漢克・威廉斯（Hank Williams）的〈你欺瞞的心〉，看的電影是《賓漢》和《北西北》。實驗組的人要把自己當做是一九五九年時的自己，所有的談話和討論都以「現在式」進行，討論的是當時所發生的政治事件，實驗者還要他們用一九五九年的心態寫一份簡單的自傳，提供一些年輕時的照片與別人分享。

對照組的一切都跟實驗組一樣，只是他們的自傳用的是過去式，提供的是目前的照片，用回憶的方式來討論一九五九年發生的事。

結果發現，實驗組的老人才第二天便主動幫忙餐廳上菜，吃完飯也會幫忙收拾，好像一下變得獨立，不再仰賴他人服務。他們雖然八十歲了，但是在心理的影響下，步履、姿勢都顯得年輕：關節變得柔軟、手變得靈巧、手的抓握力提升、體重增加。在智力測驗上，實驗組有百分之六十三的人分數提高，而對照組只有百分之四十四。

此一研究的撰寫者說，實驗組到達修道院的當天，司機把老人們放下來後便離開了，他們必須自己把行李拖到房間去。一開始，每個人抱怨連連，都說有十幾年不曾拖過行李了，但是在沒有別人幫忙之下，只好自己動手，一次拖幾步，慢慢移動；有人把箱子打開，把裡面的東西分多次搬進房。最後，全部人都住進房間去了。這給老人一個很大的鼓勵，了解自己還有用，這個「自己還年輕，還有用」的心態造就了後來看到的差異，應驗了一句英文：「As long as you are green, you can continue to grow; as soon as you are ripe, you are rotten.」（如果你認為你還是青色，尚未成熟，那就可以繼續成長；如果你認為你已成熟，那你只有爛掉一條路可走了。）

法國前總理戴高樂（Charles de Gaulle）曾說：「墳墓裡躺滿了不可或缺的人。」不要把自己的價值放到別人的肯定上，自己怎麼看自己才重要。人要永遠保持年輕的心，凡事盡量自己做。記住：年齡不是問題，心才是！

德與行

3 金錢買不到動力

最近發生了好幾件專業人士失德之事，有人認為這沒什麼了不起，一桶蘋果中免不了有爛的。但是一葉知秋，專業人士受人景仰，他們的行為是社會風氣的指標，所以不能等閒視之。

專業（profession）這個字來自拉丁文的 professus，有「公開確認」之意。在古代，一般人是沒有機會受教育的，只有貴族和僧侶等少數人可以，因此這些掌握知識的人有誠實明智運用這些知識的義務。因為受人仰賴、信任，所以社會對他們的要求比別人高，要求他們秉著良心、誠實的運用他們的專業知識去幫助他人，因此醫師、法官、會計師執業之前要先宣誓。

因為現在社會一切用錢衡量，使人誤以為金錢是一切，其實事實並非如此。九一一時，世貿大樓裡的人驚惶失措的衝下樓逃命，但在同時，消防人員卻揹著設備往上爬去救援。難道他們不知道上去的危險，為什麼還去？驅使他們上去的力量是責任和榮譽，不是金錢，光是薪水不足以讓人冒生命危險。

歷史一再告訴我們，真正使社會運作的是榮譽感、責任心、自我期許和成就感，近來許多實驗的結果也顯示金錢並非行為的唯一動力。有一個實驗是請學生盡快的用滑鼠把電腦螢幕上的圓圈拖曳到一個正方形裡，每拖曳一個圓圈，第一組給五毛錢，第二組給五分；只有第三組沒給錢，是動之以情，請求幫忙做這個實驗。結果第一組在五分鐘之內拖了一五九個，第二組一〇一個，第三組卻拖了一六八個。也就是說，無報酬的請求幫忙效果可以和金錢的一樣好。錢並沒有像我們想像的有那麼大的動力，反而錢少了，效果不好（如第二組的成績）。

另一個實驗是請學生把一組字重新排列成一個有意義的句子，第一組人的字重組成「冷天」等中性的句子；第二組的字組成「高薪」等跟金錢有關的句子。然後要他們做一個很難的拼圖，拼不出來時可以請求幫忙。結果「高薪」組堅持了五分半鐘才求援，而中性組三分鐘就求助了。在做完正要離開時，有人（另一實驗者假扮的）不小心打翻一盒粉筆，金錢組的人視若無睹，沒有幫忙撿。所以金錢固然使人自立自強，卻也使人不願幫助別人，人一想到金錢就變得自私自利了。

許多實驗顯示加薪不足以提升員工的向心力，警察、軍人和消防員不會為薪水而死，必須有更高的社會待遇，讓他們覺得他們的任務比薪水更有價值才行。這個價值就是社會對他們的尊敬。

金錢其實是最昂貴的激勵人心方式，它遠不及榮譽感有效。

多年前有部日本電影叫《金色夜叉》，講一個人追求金錢，最後死於金錢之手。要防止醫生開不必要之刀，必須提升他們對自己專業的使命感和榮譽感。二百年前英國詩人渥華斯（William Wordsworth）說：「生活要簡單，志向要高遠。」二百年後，它仍是不破的箴言。

4

德與行

順木之天，以致其性

二十一世紀是生物科技的世紀，大腦是這個世紀的顯學，但我們對它的了解仍然相當有限。有些不肖商人趕搭這班列車，利用父母望子成龍的心和民眾對大腦的不了解，以欺騙和恐嚇的方法賺了許多不該賺的錢。

我去馬來西亞演講時，有個媽媽憂心忡忡的來找我，她幼稚園的兒子去做了皮紋檢測，結果說他人格穩定，以後會當醫生，但是會自殺，她來問怎麼辦。我聽了啞然失笑，這是完全沒有科學根據的。算命最大的壞處是如果不好，會在心中留下陰影，反受其害。心理學已有很多的實驗顯示預言有自我實現的傾向，隨便說孩子會自殺是不道德的。

過去大家都認為人格是最看不見、摸不著的東西，但是在最近一期美國心理協會（APS）的期刊《心理科學》（*Psychological Science*）中，有個實驗看到了人格特質和大腦區位的關係。

這實驗是明尼蘇達大學和耶魯大學的研究團隊做的，他們掃瞄了一一六名十八到四十歲的正常人，請他們先做人格測驗，再看核磁共振圖中，大腦部位與人格特質的相關。結果發現外向性格的人，大腦在眼眶皮質（orbitofrontal cortex）內側的部位比較大，這正好是處理報酬獎賞的區塊；神經質的人，大腦處理威脅、懲罰和負面情緒的區塊比較大；圓融、會揣摩別人心意的人，大腦處理別人意圖和心智訊息的區塊比較大；體貼會替人著想的人，前額葉外側處理計畫及自我控制行為的區塊比較大。

這個實驗為人格研究打開了一扇新的門。但是即使是這些看到行為與大腦相關的科學家也不敢說大腦中怎樣，這孩子以後就會怎樣，那些非專家的商人怎麼敢如此鐵口斷言？

人的大腦有很大的可塑性，不停的依外在環境的刺激來改變內在回應的方式。四川地震過後二十五天，受災戶的核磁共振大腦圖就顯現出管情緒的神經迴路改變了。大腦若不能隨時隨地應變環境的需求，人怎麼可能活到現在？大腦若不能改變，學習又如何能發生？學習就是透過重複的行為來改變大腦神經迴路的連接，造成最後行為的改變。我們的大腦是個 cycle：大腦產生觀念，觀念引導行為，行為產生結果，結果改變大腦。人生的成就除了先天的聰明才智之外，還有後天的教養及品格，而後者比前者更為重要。

看到華人家長（因為台灣也是一樣）平日省吃儉用，卻願意花大錢去追求不正確、甚至可能危害孩子的「預測」，很是感嘆。我不了解父母帶孩子去做皮紋檢測的目的，柳宗元在〈種樹郭槖駝傳〉中講得非常清楚，要一棵樹長得好，「其本欲舒，其培欲平，其土欲故，其築欲密」，只要順其自然就好了。現代的父母憂心太過，反害其長。

從柳宗元到現在過了一千二百年，但是教養孩子的原則仍然未變，「順木之天，以致其性」還是真理。那些花在算命上的錢，不如買書給孩子看，對孩子的幫助更大些。

5

德與行

好品行需要時時提醒

「人是理性的動物」和「人性本善」一直是哲學家思辯的問題。羅素（Bertrand Russell）就不認為人是理性的動物，他說：「有人說，人是理性的動物，我這一生一直在尋找支持這個論點的證據。」

最近心理學家想出很多的實驗來回答這些問題。有一個實驗是在大賣場擺攤位，掛著一面牌：「每人限購一顆巧克力糖」，桌上放著標價十五分的瑞士巧克力 Lindt 和標價一分的美國巧克力 Kiss（大家都知道瑞士的比較貴，平常一顆至少三毛錢，而 Kiss 一顆只有五分錢而已），結果有百分之七十三的人會買瑞士巧克力，因為可以省十五分，比較划得來。

但假如把兩種價錢各減一分錢，使瑞士巧克力變成十四分而美國巧克力是免費時，百分之六十九的人都去搶美國巧克力了。雖然買瑞士巧克力仍然更省，但是一般人不這麼想，免費的東西是不搶白不搶，所謂「利令智昏」，看到免費的，大腦就忘了理智了。

這個不理性行為並不限於搶購，在日常生活上也有。諾貝爾經濟獎得主康納曼（Daniel Kahnman）做過一個很有名的實驗：兩個人共搭一輛計程車趕飛機，到機場時，兩人的飛機都飛走了，但是櫃台告訴甲：「你的飛機五分鐘前剛飛走。」告訴乙：「你的飛機半個小時前飛走了。」雖然結果都是沒趕上飛機，但是甲會懊惱的捶胸頓足、怪司機不闖紅燈，乙就不會，因為差了半個小時，就是闖紅燈也趕不上。所以有人說，世界經濟為什麼會每隔若干年就大崩盤一次，就是經濟學家高估人的理性，都以為投資者是理性的在做判斷，忘記人就是人，會有不合理的時候。

幸好人也是很容易接受暗示的，可以彌補一些不理性的後果。有一個實驗是請麻省理工學院的學生在做實驗之前先寫下他們在高中讀過的十本書書名；另一組則是寫下他們所記得的「十誡」，然後進行作弊誘惑實驗。結果被要求回憶「十誡」的那組學生雖有機會作弊卻沒有作，不像回憶書名的那一組。令人驚訝的是，只能想出一兩條十誡的學生與幾乎寫出十條的學生在行為上沒有差別。也就是說，只要想到某種道德標竿就可以讓人不欺騙了。

最令人驚訝的是在第二個實驗中，實驗者在實驗開始之前先要學生在「我明白這個研究是完全遵照麻省理工學院的榮譽制度」的聲明之下簽名，然後才開始作弊誘惑實驗。結果簽署了這項聲明的所有學生都沒有作弊。簽署榮譽制度聲明竟然會有這個效應，真是教人意外。更意外的是麻省理工學院根本沒有什麼榮譽制度，是研究者亂掰的。

所以人不是理性動物，常會貪小作假，但是只要提醒他誠實，就可以對抗誘惑。看起來，每天進校門時，看一下「禮義廉恥」這四個字對學生品德是有幫助的。前政府拆下了許多有關品德的格言，現在有科學實驗證實，它不只是空洞的口號而已，適時的提醒是有效的，古人的智慧，應該可以掛回去了。

6 仿冒品代價高昂

做人最重要的是真，一個不真的人是虛偽的、不可信任的。我們為什麼說「真善美」就是因為先有真，善才有意義，不然是偽善，真善之後才會感到美。但是我們在生活中常常忽略了真的重要性，例如有人喜歡買仿冒品，認為只要花很少的錢就可以裝成很有錢的樣子，騙過別人，滿足自己的虛榮心。美國最近有個研究發現，買仿冒品付出的代價可能比省下的錢多得多。

這個實驗是請八十五名大學女生到實驗室來，戴上名牌或仿冒的太陽眼鏡半小時後，評鑑這副眼鏡的價值，但是事實上，她們戴的全是真正的名牌並非仿冒品。實驗者先請她們戴上太陽眼鏡做五分鐘的數學，每做對一題就可以得到五分錢的獎賞。五分鐘到後，叫她們把卷子丟進垃圾筒，然後在另一張白紙上填上剛剛做的題數，依此給錢。這張紙並沒有寫名字，所以受試者以為是匿名，但是實驗者在紙上做了記號，可以比對出實際做的題數與受試者自己報告的題數。

接著實驗者再請她們判斷電腦螢幕上，左右兩個三角形中哪一邊的紅點比較多，如果選左邊只有五分錢，如果選右邊則有五毛錢。

最後，實驗者請她們把太陽眼鏡取下，估計這副眼鏡的價錢。

實驗結果發現，戴仿冒品的受試者有百分之七十一的人，報告她們做的數學題數時灌水，而戴真品者只有百分之三十會如此。兩組人在做的題數上並無差別，但是戴仿冒品者比較不誠實，騙得比較厲害。在紅點的判斷作業中，戴仿冒品的那一組選右邊的情況比戴真品的多，即使很明顯是左邊紅點多時，她們還是選右邊。這個牌子的太陽眼鏡市價是三百美元，戴真品組估計一副一百五十元，而仿冒組才估四十七元，差了三倍。

這個實驗顯示戴了仿冒品後，人會不知不覺中把這個「我是假的」（fake）的意念種到心田裡，既然我是不真的人，就比較會作假、敢欺騙。更離譜的是在第二個實驗中，實驗者發現受試者自己是fake的潛意識感覺竟然影響她對別人的判斷：實驗者給她們看一些日常生活中的情境，請她們判斷她們的朋友會不會如此做，例如明明買的東西超過八樣，卻去「快速結帳」那一行排隊；明明沒有做專案卻騙老闆快完成了；買一件昂貴的禮服，穿過後再找個理由退回給店家等等。

結果，戴仿冒品的比戴真品的更認為她的朋友會做出上述不誠實的行為。

人們買仿冒品是想用假的東西增加自己的身價，但是他們不知道騙過了別人的眼睛，卻騙不過自己的大腦，不誠實的行為在不知不覺中貶低了自己的人格，使自己做出更多不誠實的行為。更嚴重的是因此而從負面去判斷別人，覺得別人跟自己一樣壞。有一首老歌說「當你微笑時，全世界跟你一起笑」，看起來，當你看不起自己時，你也因此瞧不起別人了。

這實驗的結果令人驚異，相信當初買仿冒品來增加自己身價的人絕對沒有想到會如此，人要對自己真，這是本份。

7

德與行

「多做一點」的用心

我父親以前常說「凡事用心就好」，最近看到了一個例證：桃園中正機場以前每個月都有兩百件左右的遺失物。現在因為航警局用心，立刻就降低了百分之九十，只剩十七、八件了。

原來他們發現大部分的遺失是發生在安全檢查時，因為旅客要把身上東西都拿出來，結果忘記全部放回去。所以一把放物品的塑膠籃改成大型的之後，遺失率就降低了。

另外很貼心的地方是，不像以前直接送失物招領中心，他們現在撿到東西馬上廣播找主人，因為想到了很多觀光客只來台灣一次，無法回來認領。

如果還找不到失主，第二步是調閱安檢區的監視器畫面，比對可能的失主。因為安檢區並無旅客資料，他們得「跑」去移民署調閱可疑時段的通關記錄，再交叉比對失主的班機與旅客資料，「趕」去登機門及時交還。

其實失物招領並不在機場評鑑的項目中，他們可以不做，但是同理心使他們站在旅客的立場感受到遺失東西的焦急，願意在應做的事之外多做一點。這「多做一點」令我非常感動。

這就是我們台灣的競爭力，也就是所謂的軟實力。當你的東西失而復得時，你心中的感激會使你馬上忘記機場的擁擠、設備的老舊、人聲的嘈雜，你會回去跟你的朋友說：「台灣是天下最有人情味的地方，航警甚至把我遺失的物品送到登機門來給我，非常值得去觀光。」

政府常花大價錢蓋大樓，殊不知真正重要的是硬體內的軟體。有次大學選校長，學生拉了一塊紅布條「要大師，不要大樓」，清華校長梅貽琦也說「大學者，非有大樓之謂也，有大師之謂也」。

的確，人的品質是決定成敗真正的條件。台灣要發展觀光，熱情有禮、乾淨好客是必要的條件。大陸觀光客來台最驚訝的就是我們的捷運、高鐵很乾淨，等公車都排隊，不隨地吐痰丟紙屑，公共場所輕聲細語不大聲喧嘩。至於垃圾不落地，他們認為更是不可思議，在華人世界裡，不丟就算好的了，還有人下了班急忙趕回去，就為了在馬路上排排站，等垃圾車？

台灣真的有很多讓人感動的地方，今年中秋節前夕，我在演講中提到偏鄉離島有很多孩子不曾吃過月餅。結果訊息在網路上傳開後，這些孩子都吃到月餅了。我上週去小琉球演講，一個老師帶了十個小學生來跟我道謝，他們都是第一次吃到月餅的孩子。

更有一對大陸父女來台遊玩，父親不幸在台去世，女兒只顧著將骨灰抱上飛機，把父親的遺照忘在登機門。結果航警寄回去時，裡面除了照片還放了一串紙鶴及一張卡片，上面寫著「祈　歸鄉之路，不再曲折；祝　歸鄉平安，入土為安」。紙鶴及卡片令那女子非常感動，寫信來台道謝。這就是我們的競爭力了。嚴長壽總裁的亞都飯店為什麼會讓所有住過的客人都再回去住？因為他員工的服務窩心，讓客人賓至如歸難以忘懷。

「將心比心」是文明社會的一個指標，大家多用心，台灣的明天會更美好。

8

讓孩子從自己身上找到生命的意義

連續發生多起校園霸凌事件，手段之殘忍令人震驚，孟子所謂人皆有之的惻隱之心，在這些孩子身上竟然都沒有了。在政府亡羊補牢之餘，我們真正該追究的，應該是為什麼這些孩子會以虐待人為樂，對別人的痛苦無動於衷，心中充滿了恨？

我們的教育一直是威權制，常不給孩子申訴機會，動不動就罵孩子是豬、打他耳光，用各種方式踐踏孩子的自尊心。我們不了解一個沒有自尊的人是不會去尊重他人的，自尊心是孩子最珍貴的資產，不可隨意剝奪。

研究發現，越自卑的人越自大，自卑的人總覺得別人看不起他，他就以欺侮別人來滿足自己受傷的心。其實自信來自同儕對你長期的肯定，要有真正拿得出來的能力才會有自信心。成就感不是禮物，別人不能送給你，必須自己實實在在去「賺」來（earn it）才行，每天對著鏡子大叫三聲「我最棒、我最好」只是自欺欺人，不能建立自信。

最近隨著嚴長壽總裁的公益平台基金會去了一趟宜蘭的不老部落，深深感到那個部落的人充滿快樂和自信，跟其他部落的人不一樣。細究起來，因為他們一切自給自足，不仰賴別人：薰室中掛滿了溪中抓來的苦花魚；穀倉中堆滿了收成的小米；田地裡長著有機青菜；山路上，公雞昂首大步而行。

他們砍竹子作牆，鋪茅草作頂，樓梯是一根斜放的樹幹，上面用斧頭砍出腳踏的地方，一切取之自然。我們看到放種子的倉庫是蓋在一棵樹的旁邊，因為種子怕潮，必須架高，那棵樹幹便砍成樓梯狀，成為最天然的梯子。這種跟自然共生的生活形態是在別的地方看不到的。

幫我們解說的是一位泰雅族青年，澳洲留學回來後，回到山上來尋找他生存的價值。他說當第一次用手工方式擠出古法釀的小米酒時，部落老人眼淚都掉下來了，因為太久沒有喝到這種酒了（他們一開始時用酒渣餵雞，結果雞都醉倒在路旁）。他們的茅草屋是由矮而高傾斜的，因為山風大，勁風會把屋頂掀起，只有順著風向，由低到高順勢而為，才會長久。

他們遷到這四百公尺高的台地時，先看當地有什麼植物，知道哪些植物是適合這塊土地的，再去種植它，他們說植物一定要適性栽培才會有收成。我聽了很感慨，為什麼父母反而不能看到這一點，一定要逆勢操作，用補習、考試去扼殺孩子原來的天性呢？

我原本很好奇，為何出國留了學還會回到山地來生活？但是看到青翠欲滴的高山，雨後山嵐處處，很像陶淵明的武陵源，就覺得不必問了。還有什麼比在大自然中共生共存、自給自足、與世無爭更讓人感受到人生的意義呢？如果能夠讓孩子順性發展，找到他天賦的能力，在心靈上有所成長，當他從自己身上找到生命的意義及存在的價值時，說不定霸凌會少一點。

9 德與行

人活著一定要有尊嚴

《人生風景》顧名思義應該是作者一生經歷的感想，打開書一看，果然如此。余秋雨先生經過了中國歷史上最大的浩劫——文化大革命，對人性有深刻的了解，因此書中有許多我們可以借鏡的地方。有人說，經過文化大革命的人，七情六慾都看透，就像孫悟空在太上老君的煉丹爐裡煉過一樣，刀槍不入，人生沒有什麼可怕的，但是在書中還是處處可見文革的傷痕。

在這本書中，我感受最深的是他對毀謗的看法。曾經有人在報上指責他在文革時做過不名譽的事情，他在書中寫道：「一切受到名譽侵擾的人應該明白，現在讓你萬分苦惱的事情，絕大多數是無足輕重的。」但是要看破這一點真是不容易，因為身陷紅塵，侮蔑的話聽了誰能不血脈賁張？不過作者說得對，時間如水，世事如雲，我們不能浪費珍貴的生命，隨小人起舞。英文有句諺語「真相是時間的女兒」（Truth is the daughter of time.），路遙知馬力，日久見人心，只要能忍，日後自然有撥開雲霧見青天的一天，只是一定要想辦法使自己活得長，像張學良一樣。我每次在報上看到某人家屬欣慰「被平反」時，都覺得很難過，因為含恨而終是人生最不甘心的事。

名譽對現代人來說，不算一回事，尤其現在改名字這麼方便，污了這個名，再換個名繼續出來招搖撞騙。現在的人不在乎身上背著祖宗的姓，也沒有明思宗在煤山上吊那種「無顏見列祖列宗」的思想。人一不顧名譽，就什麼事都做得出來了。但是對有志氣的讀書人來說，名譽被污是死不瞑目之事。就如宋朝洪邁在《容齋隨筆》中寫道：「一點清油污白衣，斑斑駁駁使人疑，縱然洗遍千江水，爭似當年未污時。」

余秋雨先生在整本書中感慨最深的就是被人攻擊名譽之事了，但是他也提出應對之法，他說「千萬不要與他們辯論」，因為「題目是他們出的，陷阱是他們挖的，又沒有真正的裁判，這就像被拉到別人家的後院去進行籃球賽」，許多善良無辜的人，都埋屍在別人家的後院，我很同意他的話。假如多一點人看到這個哲理，不要回應別人的謾罵，不做他手中的木偶，隨他起舞，這世界會快樂很多。的確，你不理，別人就對你一點辦法也沒有，他說：別人對你死纏爛打就像市井小販拉著你的衣袖要你買東西，你可以拂袖而去，因為腳長在你的身上，你沒有義務要陪他玩；別人對你謾罵就像下水道排出一股惡臭，你可以走開，不必停下來細細品嚐，世界上總有垃圾，對垃圾，「我們只處理、不消受」，就像背上有疤，難道你要為了證明自己沒有疤，當眾脫衣服給他們看嗎?這句話講得真好，看透了它，人生就不會這麼煩惱了。

有一次，我在念〈岳陽樓記〉時，念到范仲淹「憂讒畏譏」，父親就說：何必憂讒畏譏，清者自清，濁者自濁。從有歷史以來，每一個朝代都有小人，如果憂讒畏譏就什麼事都做不成了。余先生在書中的意思跟父親的話很像，英文有一句話：「Those who mind don't matter, and those who matter, don't mind.」人是不可能取悅每一個人的，只要對得起良心就好。我只有對作者說的「一棵大樹如果沒有藤葛纏繞就會失去一種風韻，連畫家都不會多看它一眼，因此纏繞的藤葛無損尊嚴」，不是很同意。被藤葛糾纏不清就算不損尊嚴，也會減少生存的樂趣，我們還是不應該姑息養奸，人世間還是應該要有正義。

看完了余秋雨的《人生風景》，最後還是回頭感謝我父親，因為他在我很小的時候，教會我一個在亂世生存、保持心情寧靜的方式：我們家的牆上掛著〈左傳〉「顏斶說齊王」中的一句話「晚食以當肉，安步以當車，無罪以當貴，歸真返璞，終身不辱」。當你做到終身不辱時，你的人生風景是靜謐的、安寧的。達文西說：「充實的一天帶來好眠，充實的一生帶來安息。」

這本書讓我們從作者本身的反思中看到人活著一定要有尊嚴，因為「人沒有尊嚴，世間便是一個爛泥塘」，就不值得活了。

10 從動手實做中修行

德與行

在亂世，宗教是人心靈的慰藉，原有的社會制度瓦解了，一切都無法制、無規章，人民有冤無處伸，只有訴諸神明，歸諸天意，以求得心理的平衡。所以在東晉南北朝時，宗教盛行，士大夫清談，把希望寄託在另一個世界。歷史證明那是不對的，這是一種逃避，它的結果是亡國。智者知道對現實的不滿應該從改正不當措施做起，眾志可以成城，人應該積極的面對生命而不是消極的寄望來生。

星雲法師是一位積極入世的大師，他在國內外興學，風塵僕僕到處弘法，用他的智慧開導世人，他鼓勵信徒從自身做起，莫以善小而不為，當每個人都變好時，這個社會自然就好了。

人在受挫折，有煩惱時，常自問：人生有什麼意義，活著幹什麼？大師說，人生的意義在創造互惠共生的機會，這個世界有因你存在而與過去不同嗎？科學家特別注重創造，就是因為創造是沒有你就沒有這個東西，沒有莫札特就沒有莫札特的音樂，沒有畢卡索就沒有畢卡索的畫，創造比發現、發明的層次高了很多。

人到這個世上就是要創造一個雙贏的局面，不但為己，也要為人。英文有一句諺語：「Success is when you add the value to yourself, significance is when you add the value to others.」只有對別人也有利時，你的成功才是成功。所以大師說，生命在事業中，不在歲月上；在思想中，不在氣息上；在感覺中，不在時間上；在內涵中，不在表相上。這是我所看過談生命的意義最透徹的一句話。

挫折和災難常被當做上天的懲罰，是命運的錯誤；其實挫折和災難本來就是人生的一部分，不經挫折我們不會珍惜平順的日子，沒有災難不會珍惜生命。人是動物，是大自然中的一分子，不管怎麼聰明、有智慧，還是必須遵行自然界的法則，所以有生必有死，完全沒有例外。但是人常常參不透這個道理，歷史上秦始皇、漢武帝這種雄才大略的人也看不到這點，所以為了求長生不老，倒行逆施，壞了國家的根基。反而是修身養性的讀書人看穿了這點，宋朝李清照說「今手澤如新而墓木已拱，乃知有有必有無，有聚必有散，亦理之常，又胡足道」，看透這點，一個人的人生會不一樣，既然帶不走，就不必去收集，應該想辦法用有限的生命做出無限的功業。

一個入世的宗教，它給予人希望，知道從自身做起，不去計較別人做了什麼，只要有做，世界就會改變。最近有法師用整理回收物的方式帶信徒修行，他不要信徒捐獻金錢，但要他們捐獻時間去回收站做志工，從行動中修行。我看了這則報導真是非常高興，因為研究者發現動作會引發大腦中多巴胺這種神經傳導物質的分泌，而多巴胺跟正向情緒有關，運動完的人心情都很好，一個跳舞的人即使在初跳時臉是繃著的，跳到最後臉一定是笑的。所以星雲大師勸信徒從動手實做中修行是最有效的修行，對自己對社會都有益。

生活之道首重安心，心安才能體會人生的美妙，才聽得到鳥語、聞得到花香，所以修行第一要做到心安。既然人是群居的動物，必須和別人往來，因此做人的道理是我們第一個應該教導孩子的主題。星雲法師列舉了人生必備的十把鑰匙，請大家打開心胸，利他與慈愛，與一句英諺「You can give without loving, but you can never love without giving.」相呼應。不論古今中外，智者都看到施比受更有福。

人生只要心安，利人利己的過生活，在家出家都一樣在積功德了。

11

德與行

從小養成好習慣

一九九二年義大利帕馬（Parma）大學的研究團隊，在猴子的大腦中發現鏡像神經元（mirror neuron），找到了最原始的學習機制。原來所謂的品德其實是種內隱的學習，父母的身教非常重要，所以注重幼兒教育的北歐國家，父母中若有一人在家自己帶孩子，政府會發零用錢來鼓勵。品德是潛移默化的歷程，習慣也需要從小養成，小時候習慣養好，長大後可以節省很多社會成本。

我們常看到現在的孩子抱怨無聊，甚至會因為無聊而生大人的氣，好像他無聊是大人的錯。通常會這樣的孩子多半是平日活動排得滿滿的：才藝班、補習班，媽媽樣樣都安排好，自己完全不需操心時間的安排，每天只要按表操兵即可，因此一旦無習可補就馬上不知所措。研究發現這種孩子雖然每一分鐘都填得滿滿的，心中還是覺得無聊，因為這些不是他要的活動。我們有很多的孩子不會自己分配時間，也分不清事情的輕重緩急，時間拿去做不重要的事，結果晚上要上床了，功課還沒做完。

上天是很公平的，每個人都是一天二十四小時，但是有人成就了很多事，有人一事無成，這差別就在時間的分配上。所以父母要適當的放手，讓孩子練習自己分配他的時間。父母也要鼓勵孩子多去外面遊戲或帶他去野外探索，開啟他的興趣。在歷史上成功的人往往不是最聰明的人，卻是最有毅力的人，這毅力來自熱情，只有找到自己的興趣才能產生熱情，有熱情才能鍥而不捨的堅持下去。教育基本的核心應在教孩子對自己的行為負責，包括時間的分配在內。

再以養寵物為例，很多時候大人不讓孩子養寵物，主要是孩子常做不到他們承諾的事，最後變成父母在收拾。如果孩子很想要養寵物而大人又覺得養寵物其實超越了孩子的能力時，我過去的經驗是讓孩子和大人一起合作，把每人該做的工作分配好，也把沒有做到自己份內責任的後果講清楚，這樣反而更可以培養出孩子的責任心。因為孩子喜歡跟大人一起工作（覺得自己也是個大人），父母可以利用這個機會把許多職場的倫理教給他，讓孩子透過與父母一起工作學到他的自我價值。你會發現，你對他的看重會增加他的自重與自愛。

在二十一世紀團隊合作很重要。筷子一根很容易折斷，但是一把筷子就不容易，因為團結就是力量。但是團結常需要犧牲自我利益，這點在孩子小的時候常看不到，很需要教。尤其現在流行「只要我喜歡，有什麼不可以」，父母可利用這個機會教導他們正確的觀念：在人的社會中，沒有什麼叫「只要我喜歡，有什麼不可以」，自由是以不妨礙他人的自由為原則，不是為所欲為。連七十歲的老人家，孔子都還要說：從心所欲「不逾矩」，不可超越道德或法律的規範。

現在很多社會問題來自對「自由」的錯誤解釋。我大學畢業時，錢思亮校長叮嚀我們：台大雖然一向崇尚自由，但是那是思想和學術的自由，行為還是要守規範，他要我們做個堂堂正正的人，不能逾矩。所以這個故事讓孩子看到如果每個人都只去做他喜歡做的事，當然是一片散沙，毫無抵抗力可言，要贏就必須團結。它也同時讓孩子看到要組織起來必須有領袖，要有人來分配工作，才不會一窩蜂去做同樣的事。這個領袖的產生和領袖的領導就是父母可以和孩子好好談的部分了。

在這個科際整合的世紀，講究團隊的合作，要成功，每個人都必須貢獻專長，也必須有所犧牲。中國人一向說「合字難寫」，這是有原因的，要養成團隊精神不容易，因為人都有私心，又很會比較。要合作除了大家利益一致之外，還須有包容心，看人只看長處、不要計較短處。孩子若是關在家中玩電腦是不可能培養出人際關係和領袖魅力的，它必須在遊戲中慢慢培養出來。

所以在教孩子品德的同時，也希望家長能看到遊戲的重要性，遊戲不是學習的敵人而是輔助者，因為遊戲會啟發孩子的想像力，而想像力是創造力的根本；遊戲時也讓孩子學習人際關係，更培養了他的領袖能力。因此把時間還給孩子，不要叫他去補習，因為知識不停的在更新，教條不斷的被推翻，但是正確的價值觀和人生觀是孩子一生受用不盡的寶藏。

孩子有了好品德，他將來不論進哪個行業都會成功，沒有什麼比教出一個好孩子更令父母感到欣慰的了。

12

德與行

只要不放棄，無所謂宿命

青少年在成長的過程中，非常需要角色模範的引導、族群的認同及自我的肯定，所以我一直在找這方面的好書來幫助孩子。我心中的條件是它必須真實，能引起孩子的共鳴，感同身受地融入書中角色中，才能達到潛移默化的效果，如果一開始就說教，就破功了。

我等了許多年都沒找到，最近幾年突然好幾本書出版，如《遇見靈熊》《碎瓷片》，真是欣喜若狂，買了許多去送學校，但是對特定族群，如原住民孩子，還是沒合適的，直到這本《一個印第安少年的超真實日記》（*The Absolutely True Diary of a Part-time Indian*, 中譯本木馬文化出版）出來。我記得當時在看譯稿時，外子下班回來，問今晚吃什麼？我跟他說：「如果你能等，等我看完這本書，我弄給你吃；如果你不能等，自己去巷口吃碗牛肉麵。」外子坐下來，把我前面看完的章節拿起來看，我們一直弄到九點才吃晚飯。這本書吸引人到如此地步，也難怪出版後一直暢銷。

這本書所描寫的生活經驗，一般孩子多少都經歷過，所以說是一本「超」真實日記，只是原住民的感受更深而已。我們一般人很少在十四歲以前參加過四十二次葬禮，但是在原住民部落的確有，而且很普遍。曾經有個原住民的孩子自暴自棄、放棄升學，我問他為什麼，他說「這是我們原住民的宿命」，我大怒：「你自己放棄，不是宿命也變成宿命，你只要不放棄，什麼東西叫宿命？」

這本書一出版，我立刻買五十本寄到山上，請老師務必讓全校孩子讀。後來這孩子寫了很長的電子郵件來告訴我他邊看邊哭，從書中小狗奧斯卡的死開始哭起，書中主人翁阿諾的遭遇他都有過，他不願下山去念書，一方面是怕增加母親的負擔（父已死），一方面擔心會變成書中的「蘋果」外紅內白，不被族人認同。他說他最難過的是看到阿諾回部落去找死黨羅迪，羅迪明明在家卻不願見他，羅迪的父親面無表情的說「羅迪不在」，他離開時卻看到羅迪在二樓房間的窗戶對他比中指。

被人拒絕的痛苦，其實在成長過程中誰沒有遭遇過呢？班上永遠有人比你功課更好、更有錢、長得更漂亮。每個人的成長過程都是青澀的，難怪有人問著名的兒童發展心理學家哈里斯（Judith Harris），如果你能重來一遍，你會怎樣的不同？她毫不猶疑的說：跳過青春期。

這正是為什麼這本書很重要，它真實的描繪出青春期半大不小、荷爾蒙作怪時孩子身心的感受。阿諾說，如果有人在意過原住民的夢想，他的母親會上大學，因為她愛讀書；他的父親會成音樂家，因為他對音樂有天賦。但是部落小孩沒有機會也沒有選擇去實現夢想，當空空的冰箱加上空空的肚子時，你沒有機會，也沒有選擇。但是阿諾下山去白人學校讀書了，因為他碰上一個老師，叫他離開印第安保留區去找希望。人可以改變另一個人的宿命，尤其是老師。

這本書的英文書名叫「The Absolutely True Diary of a Part-time Indian」，為什麼說「Part-time」呢?因為他下山了，進入白人社會，他只是一半的印第安人了。這是個血淚交織的青少年認同故事，如果你只有一百塊錢買麵包，你還是應該先買它來看！

第2篇

育與教

老師的責任不在「教」而在「問」。
孩子自己想出來的
東西才是他自己的，孩子會
因為認同這個理念而去實踐，
有實踐就有改變。
教育應該讓孩子看到知識是
有趣的、有用的。

1 育與教

活的教材，活的教法

看到〈環境法〉通過後，全國學童必須多上三節環境課，我就想：何不把環境知識融入現行的教材中呢？

事實上，我們有必要檢討一下現行的教材教法了，因為現在世界瞬息萬變，用審定的教科書趕不上資訊的變化，要跟國際接軌、要有世界觀，就必須先有最新的世界知識。融入法讓老師隨時可以添加新的教材，跟得上時代的潮流。

芬蘭前教育部次長林納（Markku Linna）來台訪問時，就很驚訝我們的孩子要上這麼多節課，沒有時間遊戲。他說：芬蘭在教百分比時，用的題目是：芬蘭有百分之三十的領土在北極圈內，剩下的土地上有二十萬個湖泊……，在教數學時順便把地理知識帶進去；在教語文時，教材是兩種官方語言（芬蘭和瑞典文）所寫的歷史故事，閱讀和歷史可以併教。

美國學生在學三角幾何時，老師會帶到校外丈量，從實作中學習；他們學體積時，要設計出一個比原來的形狀更節省材料的可樂瓶子。這題目不但讓他們學會計算不規則形狀的體積，更了解到產品設計不可只顧節省材料，還得考慮運費。

澳洲更把杜威（John Dewey）的「生活即教育」發揮到極致，如一個以花卉著名的城市，他們所有的教學都以花卉為主：小學生閱讀跟花卉有關的故事書；生物課學習跟種花有關的知識；地理課則上網找出全世界主要的花卉國家，去探究為什麼這些國家的氣候和土壤可以種植出那些花來。中學生則學習如何保存及延長切花的壽命，如何用最少的包裝、運費、人工費把花盡快的送到消費者手上。

很多國家中學的社會課是討論當週發生的世界大事，在討論時，把地理、歷史知識都帶進來，增加學生的世界觀。一九八九年柏林圍牆倒下時，加州大學醫學院甄試時的題目是：你對柏林圍牆倒下的看法和感覺。雖然是甄試醫科學生，老師問的卻是世界大事，因為醫生最要有人文素養，有悲天憫人的胸懷才能做個好醫生，而不是唯利是圖的醫匠。

台灣有世界最多的蕨類和蝴蝶種類，但是我們的孩子卻對它們茫然無所知。筍是台灣常吃的食物，卻有教授在竹林中抬頭去找筍，不知道筍是長在哪裡。我們的孩子不喜歡上學，是否跟我們老舊的教材教法有關呢？

「學以致用」是個很強的學習動機，曾有個高中的服務課是讓學生上山去教山地的孩子，結果為了把小朋友教懂，高中生自己程度大大增進了，因為教學相長，要把別人教會，自己一定要先會。我們若能盡量用學生生活周遭觸目可及的動植物及社會上發生的事物做教材，用北縣英語那種活潑的教法，學生是可以喜歡上學的。

英諺有云：「If the leaner has not learned, the teacher has not taught.」把孩子關在教室中八個小時做呆板的學習，是沒有學習效果的。動點腦筋，把課程融合就可把應該教的教完，留出時間讓學生去運動或做課外活動。如果外國做得到，我們怎麼做不到呢？舜何人也，予何人也，有為者亦若是！

2 父親的影響力

育與教

台灣人口急劇下降，低到大家都感受到這個危機，但是應該還沒有到內政部高官所說「台灣應該接受未婚生子的觀念，可以提高生育率」的地步，因為教養孩子成人不容易。

春秋時，晉國的屠岸賈殺趙盾全家，公主莊姬逃了出來，發生「搜孤救孤」的事件，公孫杵臼問程嬰：「教養孤兒長大艱難，還是出首（告密）孤兒艱難？」程嬰說：「當然是教養孤兒艱難。」公孫說：「老朽已年邁，無法擔當這個重任。」於是程嬰去出首公孫杵臼，公孫死，程嬰把趙氏孤兒扶養成人。在三千年前教養孩子成人就已經不容易了，遑論現在這麼複雜的社會。

教養的艱難是很多人不生孩子的原因之一，不過最近的研究發現做父親對男性也有好處，它改變父親的大腦，使大腦神經連接得更綿密。研究者在鹿鼠（deer mice）的大腦中發現，做父親的公鼠，管學習和記憶的海馬迴細胞增多，大腦中對催產素（

oxytocin）和血管加壓素（vasopressin）的感受體也增多；絨猴（marmoset）當父親時，負責計畫、策略和情緒控制的前額葉神經元連接的密度變密，長出新的血管加壓素感受體增加新爸爸的認知能力，使新手父親在覓食時更有收穫。

就人類來說，新手父親身體泌激乳素（prolactin）這種荷爾蒙的濃度會上升，睪固酮下降；大自然使家中有新生嬰兒的爸爸睪固酮下降三分之一，減少父親的攻擊性，使他參與幼兒的照顧。

研究者還發現當母親抱起八週大的嬰兒時，他的心跳和呼吸會減低，孩子會安靜下來；但是當爸爸抱起嬰兒時，孩子的心跳和呼吸不降反升，顯示嬰兒興奮起來了，期待爸爸跟他玩遊戲。父親和母親跟嬰兒講的語詞也不同，父親比較會說有關運動、汽車等母親不常用的詞彙，因為男生、女生注意到的東西及喜好有所不同。

研究也發現雖然父親跟孩子說的話比較少，但父親的詞彙多寡卻會影響孩子三歲時的語言發展，而母親的不會（母親用的都是平常照顧孩子的語句：肚肚餓了嗎？要尿尿了嗎？比較不具複雜度）。

馬里蘭大學的一項調查發現：低收入家庭的父親因為忙於生計，不太了解孩子，比較會用 who, what, where 和 why 去問他的小孩，促使孩子用比較長的句子回答。複雜的文法和詞彙對孩子語言的發展有幫助。

做父親的常不了解他們對孩子的影響力，所以會想逃避責任。二〇〇九年一份調查了四一〇九個家庭的報告發現，孩子九個月大時，如果父母都比較少念書給孩子聽，父親不念書給孩子聽對孩子以後語言發展的影響卻遠大於母親不念，孩子在兩歲時語言表達的能力會落後，因為父親與母親給予孩子的刺激是不同的。研究也發現越早讓父親參與照顧嬰兒，他將來越會是個好爸爸。

我們不贊成生而不養、養而不教，把責任丟給社會，所以不能鼓勵未婚生子。我們要讓父親看到他對孩子的影響力，從而在一個生命開始時，有更深刻的思考。

3

育與教

人要的是放對位置

一個朋友說他讓一名能力很好的博士後研究員走了，因為這個人只想做他自己有興趣的研究，「工作不由東，累死也無功」，他有研究案結案報告期限的壓力，沒辦法，只好請他走路。

我聽了很難過，他們兩人都浪費了兩年的寶貴時光。人生最怕就是放錯位置，一個理想的工作是做自己喜歡做的事，有人付錢給你做，還要求著你做。但是大多數人找不到這個位置（niche），有人甚至一輩子都沒找到。

我曾問過一位開披薩店的朋友：為什麼敢登三十分鐘送不到就免費的廣告，台灣交通情況這麼糟，晚一分鐘就免費，不怕倒店嗎？

他說披薩的成本不高，生意要成功靠的是符合顧客的需求。他曾做過調查，發現客人最在意的不是披薩冷了走味，而是電話打後多久可以送達，若要等很久，就不如叫便當，但是如果三十分鐘之內一定到，而且過時就免費，這時訂披薩就變成遊戲，大家眼睛瞪著壁鐘，屏息等待，看今天運氣如何。心中的期待會增加大腦報酬中心多巴胺的分泌，多巴胺是種正向的神經傳導物質，分泌多時人會愉悅（海洛英等毒品就是使大腦充斥著多巴胺）。當訂披薩變成一個愉悅的經驗時，他的生意就好了。

因此，不論什麼行業，只要找到賣點就會成功。人也是一樣，只要放對了地方，能力能夠發展出來就會出頭。

有一本書 *The Element*（中譯名為《讓天賦自由》，天下文化出版）談的就是這個觀念。英文書名為什麼叫「元素」呢？因為構成每一個人的元素都相同，但組合的方式不同，所以每個人都不一樣。這個多樣性使世界繽紛有趣，如果每個人都一模一樣，這世界還有什麼味道呢？人一路求學這麼辛苦，就是為了學以致用，若不能施展長才，生命不是虛度了嗎？

在神經學上，沒有兩個腦的發展速率是相同的，而且即使是一起長大的同卵雙胞胎做同一件事時，大腦活化的迴路也不盡相同，因為如此，科學家才說每個人都是獨特的。很不幸的是，教育制度始終忽略了這一點，從幼稚園到高中，都用同一把尺去評量所有孩子，要求全班一定要達到某個進度。

很多被編到放牛班的孩子並不笨，只是開竅得晚，或天賦的能力不在主流的科目而已。我們的教育用十九世紀工業革命生產線的概念刷掉了很多我們以為的瑕疵品，其實他們是還沒劈開的和闐玉。教育是心智的啟發，它不能「大量製造」（mass production），我們怎麼還在用十九世紀機械的觀念去教二十一世紀創意的孩子？

我很高興看到最近私立大學開始個別招生了，個別招生會招到符合學校特長的學生。聯招雖然節省了很多人力和經費，但是為了行事方便，犧牲教育的目的，這是捨本逐末。學生尋找他的人生位置就好像企業尋找它的顧客需求，只有雙方契合、鑰匙對上了鎖時，天賦才能自由。

4 育與教

打破分數的迷思

美國最近公布了一份近七萬人的大型精神健康調查，結果發現在過去的一年內，每五個人中就有一人有可診斷出的心智、行為或情緒失常，其中女性（百分之二三・八）比男性（百分之一五・六）多，十八到二十五歲的年輕人最多。更可怕的是，每二十人（百分之四・八）中就有一人嚴重到干擾正常生活功能至少兩週以上。

我們很好奇，十八到二十五歲是在上大學或剛出社會工作的年齡，為什麼還未真正接受社會磨練，就有百分之三十的年輕人精神失常到可以診斷出來的地步呢？

最近俄亥俄州有個父親因為孩子功課不好，將他衣服脫光，罰站在冰天雪地中，被路人看到後，報警吃上官司。或許從這件事可以看出些端倪。

安全感是人類第一大需求，孩子在小的時候因為沒有生存和自衛的能力，完全仰賴父母的照顧，如果父母不喜歡他、不照顧他，他只有死路一條。所以心理學家洪妮（Keren Horney）和羅傑斯（Carl Rogers）提出一個兒童情緒發展理論，認為兒童如果不確定父母是否喜歡他、接納他，會有嚴重的焦慮，他們必須找出一個贏得父母歡心、讓自己安心的方法。為此，許多孩子學會揣摩上意、討好大人，或創造出一個成績優秀、可以博得父母歡心的「我」。

假如這個理想的我跟真實的我之間差距太大，這種焦慮就會更嚴重，這時孩子會用任何方式去暫時獲得父母的歡心。這是為什麼賓州州立大學的研究發現，孩子說謊的最大原因是不想讓父母失望，這也是學生作弊越來越普遍的原因。當大人只重視分數時，孩子只好作假，而作假會使他更加貶低自己，這個惡性循環最後使他掉入憂鬱症的深淵。

很多人誤以為分數是量化，最公平，但是愛因斯坦就說過：許多重要的東西是不能被量化的（Everything that counts can not be counted）。分數代表的是現在的知識，並不能預測未來的表現。

聯合國經濟合作發展組織（OECD）的史萊克（Andrea Schleicher）說：「國際學生基礎讀寫能力計畫（PISA）的目標不在檢驗過去學到什麼東西，而是未來運用所學的知識與技術以面對新環境與新挑戰。」所以他們測的不只是閱讀讀寫能力，還包括數學和科學的讀寫能力。他認為今日的學生必須能「蒐集、管理、整合及判斷資料，進而解決問題生產新知識，達到參與社會並貢獻社會的能力」，顯示現在要的是綜合的能力。

史丹佛大學做了一個研究，請受訪的中學老師回答：如果一個學生某次數學成績在六十五百分位，他應該如何對待這個學生？結果有老師抗議：「一個點不能求出斜率，單一的分數對了解一個人的能力沒有什麼價值，遑論預測未來成功的潛力。」這個觀點完全正確，我們不應該再以分數取人，更不值得讓孩子賠上他的精神健康。

前陣子過世的廣告教父孫大偉在學校時功課不好，老師對他的評語是「該生素質太差」，但是想想看，這個世界若是沒有他，該有多遜色。

分數的迷思，一定要打破！

5 教孩子怎麼「想」

育與教

《藍色革命》的作者甘特・鮑利（Gunter Pauli）寫過一套寓言，用最親近生活的方式，不著痕跡的教小孩子生態與品德的正確觀念，全世界賣出兩千七百萬套。最近他應天下雜誌的邀請來台灣演講，順便談了一下他寫書的動機。

他說老師「教」得太多，但是孩子「學」得不夠。這句話立刻引起我的注意，的確，這正是我們的毛病之一，老師口沫橫飛的講，學生意興闌珊，吸收不到十分之一。他說只要引導孩子思考，其餘自己會跑出來，千萬不要低估孩子的能力，老師的責任不在「教」而在「問」。

他說有一次他去個正在鬧旱災的國家演講，他端了一杯水進教室，大聲問小朋友：「誰在我的杯子裡小便了？」小朋友都尖叫說：「不是我，我沒有！」他接著問：「狗怎麼上廁所？」全班都大笑，大膽的男生就把腿抬高，表演狗上廁所的樣子。他又問：「貓怎麼上廁所？」更多孩子做出貓用前爪扒沙的動作，他再問：「你怎麼上廁所？」孩子齊聲說「用馬桶」，這時一個女孩恍然大悟的說：「我懂了，我們真的有在你的杯子中小便。」因為沖馬桶的水正是可以喝的水，我們用了可以喝的水去沖馬桶是浪費了水。

孩子回家後就要求父母去買乾廁所（dry toilet），結果造成那裡乾廁所大賣。他說孩子自己想出來的東西才是他自己的，孩子會因為認同這個理念而去實踐，有實踐就有改變。教育應該讓孩子看到知識是有趣的、有用的。

他又用一頭牛在吃草，一朵蘑菇大叫「不要吃我，我正在替孩子製造食物」做開頭，引導孩子去發現一公頃的地只能養活兩頭牛，卻可以長出百萬朵蘑菇。蘑菇利用牛的排泄物和稻草、枯木，把無價值的廢棄物轉換為有營養的蛋白質。小朋友在腦海裡想：一公頃、兩頭牛，兩年才能成長為肉牛；同樣的土地兩年蘑菇已經可以收成幾千萬朵了。小孩就了解蘑菇的蛋白質比牛肉的蛋白質高了幾千倍，養牛不如種蘑菇。

大自然中是沒有廢棄物的，要善用地球已經生產的東西，而不要期待地球再生產更多的東西。他認為只要跳脫制式的思想框架，改變思想，就改變了世界。

用寓言的方式把正確觀念教給孩子是很好的方法，孩子因了解而產生 vision（視野）。又因為孩子是最有執行力的（環保分類做得最好的是小學生而不是大人），視野執行出來就是真實（reality），這時，世界就改變了。

我對台灣教育一直停留在「背」的階段深感無力，連國中數學都考填空題時，學習怎麼快樂得起來?教育不需要背，了解它的意思，孩子可以有各種方式表達出來，只要意思對了，為什麼要逐字跟課本一樣才給分?

孔子說「學而不思則罔」，三千年了，我們依然在填鴨，請引導學生「想」吧!從他腦海中出來的東西才是他的。

6 多給些掌聲，少打點屁股

發展心理學家常說「不要低估孩子的能力」，最近我看到了這句話的意義。

那天，我因改考卷改得有些煩躁，便出去中庭澆一下花，對門六歲的孩子跑出來大聲告訴我：花還沒有很「渴」，不要浪費水，因為水很珍貴，只有「一桶」是水。我聽了覺得很奇怪，便停下來問他「一桶是水」是什麼意思。他一本正經的說：「就是一百桶中只有一桶是可以喝的水呀！」我問他：「是誰告訴你的？」他說：「你自己呀！」

我突然想起過年前有一陣子很久沒下雨，水庫乾得快見底，大家都在擔心會不會限水。我去搭公車時，正好碰到他媽媽送他去上學，我們在路上看到有店家懶得用掃帚，直接用水沖地，我很不以為然，便說：「地球上五分之四都是水，可惜都不能喝，是海水。如果地球的水是一百桶的話，九十六桶是海水，其餘的是冰，只有一桶是可以喝的水，我們怎麼可以不珍惜水。」

我沒想到一個還未上學的孩子，只聽這麼一次就記得了，而且會在適當的情境中用它。可見我們真的不能低估孩子的能力，父母不必擔心要教多少，反正如果聽懂了他就自然記得，不懂也沒關係，只要不考他，教多少都不是問題，因為這種學習沒有壓力。

他回家後，我在想：如果孩子小時候都很有學習的能力，聽大人說一次就記得了，為何長大後在課堂上聽老師說很多次還記不得呢？我有一個被派到山地小學去做替代役的學生告訴我，每天早上天未亮，小學生就翻山越嶺來到學校，直接去敲他寢室的玻璃窗，叫他起來開圖書館的門，因為他們想進去看書。

是什麼緣故使孩子從喜歡學習到討厭學習、從愛上學到逃學呢？

我還未回台時，曾經帶過幾位台灣的小學校長去參觀加州聖地牙哥的海洋世界，那裡的海豚表演很精彩，每個小朋友都瘋狂的拍手。表演結束後，一位校長趨前問訓練師：「你需要訓練牠們多久牠們才能演出？你的海豚比我的學生聽話多了。」那位女訓練師笑著說：「一點都不難，只要有耐心就可以。我不要求全部，只要牠們做對一點，我就給牠們魚吃，所以牠們一看到我，就立刻做出可以獲得魚吃的動作。一點一點把這些動作連起來，就是你們看到的表演了。」

難怪我們的教學效果不好。我們幾乎沒有在孩子做對時獎勵他，都是做錯了就處罰他。我們認為做對是理所當然，做錯是不用心，很少人去檢討一下這個觀念合不合理。我們忘記鼓勵才會使學生愛做、繼續做下去，而不是因為怕挨打不得不做，被動的效果當然不好。想不到主動、被動這一點的差異，長大後在學習的態度上有這麼大的差別。

因此在揚起「愛的小手」揍他時，先停下來想一想，用蜜糖可以抓到比較多的蒼蠅，不是嗎？

7 育與教

賣肉桂精油的校長

假如你是一位新上任的國中校長，你的學校在北大武山下，是所「不三不四」（不是山地也不是都市）的學校，你有六甲的校地，上面長滿肉桂、樟樹、香茅……，但是你的學區很貧窮，學生嚴重流失，有能力的家長都把孩子轉去外地就讀，學校從全鄉最大校縮減到只剩一三四人，應了一道謎語，「97年的香港」打《論語》一句：謎底是「貧賤不能移」。你有心重振學校，給孩子希望，讓偏鄉孩子知道人生不是像他每天睜開眼所看到的那樣無望。

如果你是這位校長，你會怎麼做？

今年八月，我在一片檳榔樹中，看到一所學校，校園中一位五十幾歲、面孔曬得黝黑的人在除草，那就是校長。他說南部的太陽加上大武山充沛的地下水，樹木生長茂盛，野草長得尤其快，六甲的地剛除完還未喘息，前面的草又要除了。校長說草長會藏蛇，怕咬到孩子。聽到這句話，就知道是個愛護學生的好校長。

他領我去看校園中自然湧出的泉水，冰涼清澈，水質非常好，而且終年不斷。望著雄偉的大武山、碧綠的草地、清澈的泉水，正要說「人間仙境」，校長卻嘆氣說他在想如何把這些「不動產」轉化為圖書費，並用來發展學校的特色。

學校太窮了，越窮越沒有經費發展特色，學生流失得越快，成為一個惡性循環。因為校長是念化學的，所以他想到了提煉肉桂精油。肉桂樹枝葉茂盛，每天落葉掃不完，若把它提煉成精油，不但省去打掃，還可義賣。它同時是學生參加科學展覽的好題目，因為葉子的溼度跟品質有關係。

我想如能這樣，真是廢物利用，而且純肉桂油很珍貴，是可遇而不可求的，所以回台北後就到處幫校長打聽。想不到才兩個月，再去這所學校時，已有成品出來了。我看到學生把兩公斤多的肉桂葉塞進蒸餾器中，最後流出來白色的肉桂露上面浮著一層薄薄的棕色的油，那就是肉桂油，濃郁芳香。兩公斤的葉子做不到一毫升，真是珍貴。學生馬上體會到「滴滴皆辛苦」，知道要惜物。

校長也鼓勵孩子去試校園中的其他植物，所以我也試了香茅油，幾滴就使蚊子一整天不來咬我。

一間簡陋的教室，八部蒸餾器，牆上貼著學生操作的心得（校長要求他們經驗分享，一方面訓練國文，另一方面使別的同學不犯同樣的錯誤），望著孩子認真工作的面孔，我很感動。或許他們將來不會成為化學家，但是至少他們體驗到科學的樂趣和實用，了解到只要肯動腦筋想，辦法就會出來。實做也讓他們看到理化課本的意義，讀書不再是應付考試。

校長的用心和關心改變了這所學校。我感到校園中生氣蓬勃。

俗語說「事在人為」，你想做，你會找到方法，你不想做，一定也找得到藉口。在回程的路上，映著夕陽，滿心愉快。教育是最好的投資，沒有什麼比認真學習的面孔更令人高興的了。

8

用欣賞代替挑剔

《肚子有一朵雲》（*Un nuage dans le ventre*, 中譯本典藏藝術家庭出版）是一本需要慢慢看的書，雖然很短，但是很值得一看再看，因為裡面有很多是我們父母常犯的錯誤，我們常常不知不覺中犯下這些錯誤，等孩子長大了，我們才奇怪為什麼一個小時候很乖的孩子長大就變了。這本書在有意無意間讓你看到為什麼會如此。

例如：我們常說「如果你不怎麼怎麼樣，我等一下就不怎麼怎麼樣……」用條件式的威脅手段要孩子就範。這種語氣常會引起孩子反感，小一點的時候無力反抗，長大一點就叛逆了。事實上，不必長太大，當書中的爸爸說「如果你不閉上嘴巴，就別想看電視」時，書中主角艾略特就拿本書回到房間去讀了。他連辯都懶得辯，因為他已知道當父母這樣說時，多辯無效。

但是這其實是潛伏的炸彈，有一天爆出來威力會很大，因為艾略特的不反駁行為就是親子溝通管道關閉的開始。父母很少花時間追究孩子為什麼要做出這個行為，如果了解了，通常對某個行為（如艾略特在做白日夢時會張開嘴）就不會這麼排斥，畢竟每個人在冥想時，有他自己的方式，有人踱方步，有人在桌上敲手指節，最主要是我們大人無法蹲下來從孩子的眼光看事情時，會習慣從自己的觀點做判斷。

其實，孩子小時候觀察力是很敏銳的，他們會看到很多我們沒有注意到、甚至視而不見的東西（如書中一開始蒼蠅的故事），孩子會因為這三隻蒼蠅不「肯」飛出去，而幻想出一堆奇怪的故事來解釋它。他當然不曉得蒼蠅是逐臭之夫，廚房有起司，牠們怎麼會不圍著起司飛呢？

很可惜的是大部分的大人都不鼓勵孩子做白日夢，都認為那是浪費時間，忘記了《金銀島》的作者史蒂文生（Robert Louis Stevenson）就是因為生病在床，不能去上學，每天只好做白日夢自娛，把它寫下來後，就變成娛樂全世界兒童的不朽作品了。

艾略特只要一開始幻想，嘴就張大了，他的父母試了所有的方法，威脅利誘，要他閉上嘴巴都沒效。直到有一天，艾略特躺在草地上曬太陽，眼睛望著天上的雲在幻想，他父親彎下腰跟他說：「小心呀，你如果這樣張開嘴，會吞下一朵雲喲。」從此以後，艾略特便不張開嘴了，他要保護肚子裡的雲，他在家閉著嘴，出門閉著嘴，在學校也閉著嘴，不再像以前一樣每事問了。

照說，他達到了每一個人祈禱的目的——艾略特終於不張大嘴呆想了。但是這樣又不對了，孩子不說話，大人又擔心了。大人們開始後悔，母親說：「我的兒子本來生氣蓬勃又快樂，我們把他變成了哀傷又孤單。」父母想盡各種方法想使艾略特開口，但是艾略特為了保護肚裡的雲，連冰淇淋都可以犧牲，他不開口，怕雲跑掉。最後雲變成雨滴下來了，艾略特開口了，怎麼開的呢？請看書吧，結局太好了。

當我們用欣賞的眼光看待孩子時，一定會看到他的長處，假如用挑剔的眼光，當然每一個行為都不符合我們的標準。人都是要等到失去了才會珍惜，但是多看書，別人的智慧可以幫助我們在沒有失去前就珍惜它。當孩子跟父母溝通沒問題時，就不會有青春風暴期，這正是為什麼這本書要慢慢的看，只有這樣，才能完全體會作者的意思。

9 凡是值得做的事就值得好好做

最近市面上有好幾本優良教師所寫的書，這些拿過教育界最高榮譽獎的老師把他們多年來教學的經驗寫出來與大家分享。在這麼多書中，最令我感動的是《第56號教室的奇蹟》（*Teach Like Your Hair's On Fire: the methods and madness inside Room 56*, 中譯本高寶出版）的主人翁雷夫老師（Rafe Esquith）。他每天早上六點半就到學校，因為他要教他的孩子閱讀，而學校課程已滿，沒有空檔，他便提早一個小時到校，讓所有想學習的孩子不用上補習班，只要肯早起，雷夫老師在此恭候大駕。像這樣摸黑早起為學生付出的老師，實在令人敬佩。

他的教學理念非常正確，閱讀不是一門科目，它是生活的基石，他要孩子每天閱讀，但不是為了參加測驗，更不是讓人家看到他有進步，閱讀是因為他喜歡書本才讀，他說閱讀是所有和世界接軌的人樂此不疲的一個活動。我們現在在實驗上看到閱讀行為會改變大腦（文盲和識字者在處理文字訊息時，大腦活化的地方不一樣），閱讀改變了我們的生活，我們的生活改變了我們的閱讀。很多家長抱怨他的孩子不讀書，我總是反問：你自己有讀書嗎？這是最基本的問題，雷夫老師也在書中告訴我們身教的重要性，孩子需要大人的典範與指導。

在本書中，你會一直看到「凡是值得做的事就值得好好做」，這個敬業精神在台灣現在是太缺乏了。不知從何時起，台灣養成了敷衍了事的習慣，道路開挖，回填時都是草草了事，使整條馬路顛簸不平，行車變成痛苦的事。

他告訴學生只要盡力好好做了，考試不是那麼重要，就算考壞，明天太陽照樣升起，地球也沒有毀滅。考不好只代表一件事：你還沒有弄懂這個題目，老師再為你講解一次。我看到這段時非常感動，為什麼我們的大人不是這種觀念，而是考不好大刑伺候呢？他一再提醒學生：人生中最重要的問題永遠不會出現在標準化測驗上，不會有人問他們的品格、誠信、道德或胸襟，但是這些都是教育的根本。

他抓住了教育目的的核心，所以從他手上出來的學生個個勤奮好學，樂於助人。有一次，他們去戶外教學，一輛垃圾車翻覆了，他的學生越過馬路把車扶正，把地上的垃圾收拾乾淨。就憑這一點，不論這孩子的成績如何，他在我心目中就已經是可以畢業的好學生了。

每個老師都抱怨上課時間不夠，無法教課外的東西，但是第56號教室卻可以，雷夫老師是怎麼辦到的呢？他做的其實就是我們現在推的課程整合。在教數學時，他的題目不是「小明走了三公里……」，而是心中先想美國的州數（50），加上一打（+12=62），減去最高法院法官人數（-9=53），加上半個月的週數（+2=55），總數除以11，好，寫下答案（5）。或是一加侖的品脫數（8）加上棒球的局數（+9=17）……，任何跟生活或社會科有關的知識都可以化入題目。

其實芬蘭就是這樣，他們的數學題目把地理、歷史的知識融入，如芬蘭的數學題目有一題是全國有三分之一的國土在北極圈內，剩下的……，使學生在做算數時，同時學到地理知識。更何況這樣的教學比較活潑生動，學生學起來也比較有趣。

從這本書我們看到了「沒有不可教的孩子，只有不用心的老師。（If the learner has not learned, the teacher has not taught.）」願天下的老師都能像雷夫老師一樣，啟發孩子的心智，為他們打開人生的第一道門。

10 孩子只要跟自己比

一個故事要感人，必須要真，《媽媽不必當超人》這本書最感人的地方就是真。它是一個母親放棄工作，在家帶三個小孩的真實日記。每個人都可以在這本書中找到跟自己經驗相同的地方，引起心裡的共鳴。我很喜歡這本書，作者的文筆流暢，很難想像她在台灣只念到初一，十三歲就出國去了，可見學習真的是在個人，有心就成。

書中作者提到的觀念都非常好，尤其談到美國和台灣學校對教育的觀點，更讓我們感到他山之石可以攻玉，應該好好反省一下。作者提到美國的學校不排名次，考試成績是老師和孩子之間的事，跟別人無關。但是台灣去的父母會打聽別人考多少分，想要知道自己孩子的排名，惹得美國的父母問作者：為什麼這個媽媽要這樣做？美國人認為孩子的成績和他的進度是個人的隱私權，不會公開，更不會排名次，他們不能了解為什麼東方人這麼在乎成績。

曾經有個一直考第一名的孩子因為考了第二名被老師打，理由是退步了。我聽到這件事時簡直不能相信，按照老師的哲學，第一名的學生最恐懼，因為無法再進步，只可能退步，永遠要擔心挨打。這是什麼樣的教育呢？為什麼我們不把眼光放遠一點，把競爭的對象放到國外，而不是自己班上的同學？為什麼我們到了二十一世紀還是這麼相信不打不成材呢？

作者提到她去學校開懇親會，老師跟家長說：在學校沒有對與錯，只有試與不試，就算是錯了也沒有關係，因為錯誤是一個使自己變得更好的機會。老師請家長不要把孩子的功課改到零錯誤，因為沒有錯誤，老師就不知道孩子哪裡需要幫助；老師也告訴家長不要管班上別的孩子的進度，因為每個孩子個性不一樣，開竅的早晚也不一樣，教導的方式自然不一樣，不可以比。老師最後的建議是請家長多花時間和精力鼓勵孩子。相信經過台灣打罵教育的人看到這一段一定心有戚戚焉。的確，分數不代表全部，它是評量的一個方式，並不是唯一的方式，更不是很好的方式，可嘆台灣父母迷信分數又喜歡比較，使我們的孩子視學習為畏途。我常想，若能打破分數和比較的迷思，台灣的教改就成功了。

這本書發人深省，是一本非常值得看的好書。

育與教

11 珍惜自閉兒的純真

《山姆告訴我的事》（*The Wisdom of Sam*, 中譯本商周出版）這本書令我感動，因為作者不矯情的描述出他自閉症孫子山姆的成長過程，山姆的「真」令人動容。

孩子在小的時候都很真，但是在長大的過程中，正常的孩子很快就學會了解什麼是大人的期待，為了討好大人，孩子就會刻意做出大人期許的行為，就失去了真。我有個小學同學，非常聰明機伶，深得校長和老師的喜愛，還代表學校向蔣夫人獻花，有一天我在打掃校園落葉時，不經意聽到兩位老師說她「心比比干多一竅」，因為我看過《封神榜》，就了解刻意博得別人讚美的孩子並不是人人喜歡，做人還是真誠一點好。

的確，看到山姆，我真的覺得自閉症孩子最可貴的就是純真，他不掩飾自己的感覺、有話直說、不虛偽。

其實，他們一樣有同理心，他也會關心媽媽的背痛、會擔心爺爺難過，也知道有些問題不可以問。只是對這種孩子，有問題是不能放在心裡的，他一定要問出來。所以他會問：「我幾歲的時候你會死？」很多父母會禁止孩子問這種問題，但是我覺得不必禁止，孩子想知道就應該立即滿足他的好奇心，人都會死的，有什麼好忌諱呢？說不定你的回答使他開啟了另外一扇窗。我小時候對我的外公也有這個疑問，因為他很老了，但是我沒有山姆的勇氣。

我更讚嘆的是作者的回答，因為孩子在乎的不是什麼是死亡，而是焦慮大人不在後，他怎麼辦。我常看到父母聽到這個問題就開始解釋死亡是什麼，但是這不是孩子要的，他要知道你還會陪伴他嗎？還會保護他嗎？

最近睡眠的研究發現我們作夢時，最多的夢是焦慮，表示這是一般人隱藏在心中最大的擔憂。作者的回答非常好，他沒有解釋死亡是什麼，但是讓孩子知道不論他在哪裡，他一樣會愛他、一樣關心他，跟現在一樣。他說完後孩子的肩膀放鬆下來，安心了不少。對一個八歲的孩子來說，這個肯定太重要了，孩子需要大人的愛。

這個故事更重要是後面作者的感想，我父親過世時交代我們不要超渡他，因為他一生沒有做虧心事，他會在天上，不需要超渡。人沒有遺憾對死亡就不會恐懼，早早教會孩子這個道理，一生受用不盡。

作者說大自然中沒有所謂的對與錯，只有抉擇與後果，這是睿智之言。人生無時無刻不在做抉擇，連走哪條公路都是抉擇，父母既然不可能保護孩子一輩子，就必須及早把人生的智慧教給他，告訴他抉擇錯了就要付代價。但是沒有關係，只要不犯第二次錯就沒有什麼叫錯誤的抉擇。

我父親常說做與不做都是百分之五十的機率時，要做，一做就改變機率了。人生本來就是「不經一事不長一智」，孩子絕對不能太保護，作者說過度保護的孩子沒有創意，真是對極了。創意來自嘗試，當嘗試新的東西時，兩個原本不相干的神經迴路就被連在一起，新的點子就出現了。

山姆最幸運的地方是他有一對好父母，尤其是媽媽黛比，對他百分之百的接納。自閉症孩子有固執的毛病，他們對生活的細節非常在乎。我曾帶過一個自閉症的孩子，他每天必須走同樣的路線去上學，不能改變，有一天，修馬路，圍起來不通了，他不能接受繞道而行這個改變，坐在地上大哭大鬧。最後沒辦法，我們讓他爬過挖開的馬路，車子從另一邊接駁帶他上學。

黛比很知道這個固執的原因是焦慮，對未來可能發生的任何新情況的焦慮，所以在開學前，她替山姆把老師規定要帶的文具全部準備好放在固定地方，山姆一伸手就可以摸到，減低了他的焦慮。

當然，他們都沒想到老師把全班小朋友的文具都收來放在桶子裡，要用時自己去拿（這避免了「老師他拿我的橡皮擦」「老師他用了我的鉛筆」的告狀問題」），但是老師沒有想到，這對有自閉症的山姆是個不可接受的情境。作者清楚的點出自閉兒在學校的困境，他們像個方塊在一個不停滾動的圓形環境中求生存，難怪會撞得滿頭包。

這本書最可貴的地方在讓我們看到自閉兒也是兒童，他們一樣的可愛，只要我們用欣賞的眼光去看他們，就會像山姆的爺爺一樣看到他們的長處。其實自閉兒的純真更惹人疼，作者說得對，每個孩子都是上天的恩賜，來到你家是上天給你的恩典，要善待他、疼愛他。

12 教養孩子無他，參與用心而已

我因時間有限，許多喜愛的書都不能翻譯，只能集中精神翻認知神經科學方面的新書，所以常常有遺珠之憾。這次皇冠寄書給我時，說實在話，打開一看，是比爾・蓋茲（Bill Gates）的爸爸寫的，心中第一個念頭是：又是官大學問大，一人得道雞犬升天，成功的人一家子都是天才的那種書。但是畢竟接受過一點科學訓練，知道沒有證據的意見是偏見，所以在退回之前還是先拿起來看一下。

想不到，一看就覺得這本《比爾・蓋茲是這樣教出來的》（*Showing Up for Life*, 中譯本平安文化出版）非常好、值得翻譯，因為作者言語樸實中肯、觀念正確、態度積極，是世界公民的好榜樣。

我很贊同他的許多觀點，更欣賞他的幽默。例如有一次他去微軟員工年會演講，底下人看他是個老頭，都不安靜的聽，於是他說：「沒有我，你們今天都不會在這裡。」底下哄堂大笑，就全神貫注聽他講了。作者以誠實來面對所有的問題，在閱讀的過程中，你會因喜歡這個人而忘記他是比爾・蓋茲這個世界首富的父親，相信讀者看完會跟我有同感。

當記者問他，他是怎麼教出像比爾・蓋茲這樣優秀的三個孩子時，他想了一下，很誠實的說：「我也不知道，我只是盡量參與他們的生活，以身作則給他們看而已。」這句話說得太好了，教養孩子無他，身教而已。做父母的最需要的就是「參與」，參與孩子的大小活動，因為只有參與才會有了解，有了解，溝通才會順暢。

兒童發展研究發現所謂的青春風暴期，除了青少年體內荷爾蒙大量湧出的原因之外，另一個原因是溝通管道的不暢通。這個年齡的孩子常覺得父母不關心他，或關心太多、或關心的方式不是他要的，反正怎麼做都不對，常令父母抓狂。但是如果平常有參與孩子生活，只要孩子情緒一有不對勁，立刻化解，就不會累積起來變成滾雪球，一發不可收拾。

所以作者說，他雖然做律師，業務很忙，還是盡量抽空參加孩子的學校活動及球賽。孩子打球時，一上場，眼睛一定往觀眾席上掃瞄，就是希望看到父母有來觀賽。那個時期的孩子非常在意父母對他的看法，希望父母以他為榮。

最近賓州州立大學的研究發現，孩子說謊的頭號原因是不想讓父母對他失望，這份報告出來之後很令父母震驚，叛逆的孩子其實心中還是希望取悅父母，只是能力或經驗不足，弄巧成拙，馬屁拍到馬腿上而已。父母從來沒有想到孩子做出令他生氣的壞事，原來背後的原因是希望討好他。看到台灣現在這麼多不快樂的孩子，我加緊翻譯，希望給父母一個不同的角度來看孩子。

作者說他從小就是童子軍，參與很多社會公義活動，長大後，他與太太都是社會上慈善活動很活躍的人。他的身教影響了比爾・蓋茲，使他後來把錢捐出來成立基金會，幫助非洲的兒童。

他在書中一再強調把握機會影響孩子的價值觀。許多父母都有這個經驗：孩子十二歲，六月份，未畢業前是小學生，你要牽他的手過馬路，他會讓你牽。但是到了九月份一開學變成國中生之後，他就不肯讓你牽，叫你不要這樣肉麻。等到上了高中就變成你走前面，他走你後面，假裝不認得你了。

我看到這位父親這樣花心思教育孩子，很是感動，覺得應該盡快把它翻譯出來，讓很多父母了解孩子的童年是稍縱即逝，要把握住教導他的機會，至少把自己的人生觀、價值觀教給他。

時光一去不回頭，失去了親子共處的機會會變成終身的遺憾。養孩子的樂趣就在每天看著孩子成長、成材，你如果不花時間跟他在一起，又何必生他呢？做父母的最不應該就是生而不養、養而不教。沒錯，現代人很忙，常常忙到連飯都來不及吃，但是人生本來就不可能什麼都全有，自己要做選擇，應該早早把優先順序排出來，選重要的做。

孩子是我們一生最大的投資，金錢財富可以再賺，只有教養孩子的機會失去了不會再有，作者的智慧是值得天下父母借鏡的。

比爾・蓋茲成功後，很多人恭維他，說他的兒子是天才，這位父親自己說，孩子是不笨，但是跟他一樣聰明的孩子多得是，他孩子比人強的地方在於他有熱情，能鍥而不捨地追求夢想，成功不是僅靠聰明，智慧和熱情兩者不可缺一。我認為他這個做父親的也有智慧，懂得放手，想想中國的父母親大概很少能像他一樣，孩子哈佛念到二年級肯讓他輟學去追夢。

英文有句諺語：「沒有什麼叫天才，放對了Niche（位置），讓孩子能力發展出來就是天才。」只是很多父母不知孩子的能力在哪裡。其實，只要是自己帶的孩子，稍加注意，一定會知道他的長處在哪裡。就像作者說的，他帶三個孩子去迪士尼樂園玩，出發前，他給每個孩子二十美元的零用錢，回來時，他馬上知道大女兒是走會計師的路，因為她拿了一本小本子記帳，路上花的每一分錢都登記下來，回到家，她把本子上登記的帳跟她皮包中的零錢一比對，一分都不少，他就立刻知道這孩子以後應該做會計師了。

所以只要是自己帶的孩子，父母一定知道孩子的天份和興趣，因為他們在生活上會不知不覺流露出他們的喜好，父母稍加留意就看得到了。看到現在有孩子懷孕足月到學校生了嬰兒，父母都不知道，心中實在難過。

教養孩子無他，用心而已，用心教他、帶他、陪他，他自然會以最好的成就回報你。這本書，作者從他自己小時候觀察他的父親如何參與鎮上的公共事務，到他如何把這個參與的公民責任再傳到他小孩身上，是一本很好的回憶錄。成功沒有偶然，它絕對是智慧、熱情與毅力的成果。

13 將孩子帶進科學之門

育與教

台灣目前一個很熱門的話題就是科技與人文的對談，好像這是兩個相對立的領域，必須透過溝通和對談才會使兩邊和諧。其實科技和人文是「哲學」這棵大樹發展出來的兩大枝幹，不是獨立的不相干個體，它們不需要對談，而是你中有我、我中有你的融合體。

一個好的科學家一定有好的文學素養，寫出來的東西是眾人看得懂的。諾貝爾物理學獎得主費曼（Richard Feynman）教授的書就是一個很好的例子，他的書幾十年來一直是青少年進入科學領域的啟蒙書。只有真正懂的人才能夠把很深的學問用日常生活的例子，深入淺出的介紹出來。劉炯朗校長的著作《一次看懂社會科學》就給人這樣的感覺，讀起來行雲流水但裡面的內容很深奧。

劉校長的博學眾所周知，我只是不知道他是如此的廣而深，幸好他已經退休了，不然像他這樣人文和科技通吃的人會嚴重威脅別人的飯碗。除了知識淵博，我最敬佩劉校長的是他的敬業精神，他在新竹的ＩＣ之音竹科廣播電台主持一個節目，每逢錄音時，所有的應酬全都推掉，專心錄音，有時錄上一整天，直到他自己滿意為止。我們都知道要約劉校長吃飯一定要避開錄音天，不然再好的佳餚都引誘不了他，這種敬業態度實在令人敬佩。

我們過去都以為主持節目的人一定要國語字正腔圓、聲音甜美，但是劉校長的節目讓我們看到這並不是必要條件，聽眾真正在乎的是內涵。劉校長說話有廣東腔，因為他在澳門長大，但是由於節目內容豐富，廣東腔反而變成他的特色。像我的朋友開車聽收音機的時候，一聽到廣東腔就不再搜尋電台，他知道劉校長上場了，大家洗耳恭聽。

我最喜歡聽劉校長講一些科技史，像Google為什麼會叫這個奇怪的名字等等，因為劉校長五十年代就去美國留學，在伊利諾大學任教多年才回清華當校長。他在美國時正好是電腦興起的年代，見證了電腦從一個房間那麼大的龐然巨物到現在背包裡放的筆電，親身經歷了這個過程，說起故事來多一分自身的體驗，是當事人而不是旁觀者，所以故事會吸引人。就像我一九六九年去美國念書時見證到心理學蛻化為認知科學一樣，其中的關鍵實驗自己都做過，那種感覺就是不一樣。所以劉校長在講科技史時，真的沒有人比得上他。

劉校長最拿手的是深奧令人卻步的天文物理，他娓娓道來，活潑生動有趣，書讀起來輕鬆愉快，非常適合父母讀給國小三年級以上的孩子聽。我最推薦的是這本書中引導思考方式的邏輯推理，這是台灣目前教育非常缺乏的一項。父母可利用這本書補強目前教育制度上的不足。

當然父母時間不夠，讓孩子自己讀完再跟父母討論也是一個方法，重點在父母要把邏輯思考的方式透過相互討論教給孩子。在國外，我常看到父母在餐桌上跟子女就某個議題辨證，在台灣，這現象幾乎不存在，但邏輯思考的重要性在於一個有邏輯思考的人不會盲從，不會隨便被人鼓動上街去遊行。

我一直認為念書給孩子聽、跟孩子討論事情比去外面應酬重要，因為應酬的話常不能當真，酒肉又穿腸過，一頓飯三個小時其實很浪費時間，若把這時間拿來啟發孩子，效益不可同日而語。

在我成長的過程台灣沒有電視，父母也不需要去外面應酬，我學到最多的東西是晚飯後，父親讀報給我們聽的時候，他會評論時事，問我們這件事如果是我們在做，下一步會怎麼樣，讓我們學習別人的經驗，也教我們如何從別人觀點來看同一件事情，這對我後來出社會做事有很大的幫助。

新加坡前總理李光耀在千禧年國際閱讀協會年會的演講中說：二十一世紀的公民

必須有快速吸取訊息的能力和正確表達自己意思的能力。若要孩子快速正確的表達出他的思緒，他講出來的話必須有條理、合邏輯。劉校長的書中有許多可以讓父母跟孩子討論的議題，有些是科學上的，有些是生活上的，都是訓練的好題材。

孩子是我們一生最大的投資，在演化上要成功是子代必須超越親代，青出於藍要更勝於藍。過去家長常找不到合適的科學書來啟發孩子，現在有了劉校長這些書，可以在教室裡或透過親子共讀將孩子帶進科學之門，讓他們體會到獨立思考與做學問的樂趣。

14

育與教

教育問題不能靠立法解決

二○一一年二月的大學指定考試作文題目是「學校和學生的關係」，學生究竟可不可以告學校，引起很多討論。正巧隔了一個太平洋的美國紐約市，有個二十七歲的女生狀告她所就讀的門羅學院（Monroe College），要求學校退還她七萬美元的學費，因為她念了四年，畢業後卻沒找到工作，她認為學校有過失，沒有盡力幫她介紹工作，所以要學校還她錢。

我看到報上這則新聞有點不解，收學生還得負責找工作，哪裡還有人敢辦學呢？如果學生是扶不起的阿斗，可以怪學校和老師嗎？

以前老師這個行業是最不會吃官司的，現在不是了。前一陣子，老師罵一個天天遲到的學生是「遲到大王」竟然被告「毀謗罪」；最近某國立大學物理所碩士班學生因為上課睡覺被老師說「要睡覺可以不用修這門課」，也告老師妨害名譽，幸好最後是不起訴，但是傷害已經造成了。有位教學認真的老師在桌上壓了一張大陸的順口溜

「苦幹實幹，撤職查辦」，提醒自己不要為了別人的孩子讓自己丟掉飯碗。

過去韓愈所謂的「師道」現在已經越來越沒有存在的價值，Google、Yahoo等網站出來後，學生上網搜尋到的知識可能比老師講的還多，因此現代老師只剩下「傳道」一項是電腦網路不能取代的，如果連這一項也不能做，那就不必做老師了。難怪許多老師覺得不如歸去，紛紛退休。一位國中老師說：「只要男生不打架、女生不懷孕，我就功德圓滿。」學生不出事就算過了一天，是誰使老師把「春風化雨」變成「做一天和尚撞一天鐘」呢？

一個好的法律領導社會前進，但是惡法也會阻礙社會的進步，因為法律有殺雞儆猴的效用。玻璃娃娃的判例已使很多學校不敢收特殊殘障生，也使學生不敢幫助同學。如果老師再動則得咎，學校就會變成販賣知識的場所，當學生是顧客時，「教化」的精神也就蕩然無存了。有人開玩笑說現在收學生要先簽同意書，像醫生手術之前的切結書一樣，免得被告。雖是玩笑話，卻令人寒心。

雪上加霜的是學校怕媒體渲染，不敢站出來挺老師。因為現在社會沒有正義，讓媒體肆虐，亂貼標籤，不了解名譽是人的第二生命，名譽污了只有血才洗得掉。北宋洪邁在《容齋隨筆》中寫道：「一點清油污白衣，斑斑駁駁使人疑，縱然洗遍千江水，不似當年未污時。」大家都怕上報，跳到黃河洗不清，因此就互相推諉責任。

前述的睡覺事件，校方的說法是兩個當事人都已離開學校了，校方「不方便」評論。問題是當事情發生時，兩造都是學校的人，校方應該站出來，就黑白是非給社會一個交代，不能讓老師寒心，讓學生認為嗆老師沒什麼大不了，一句「已離開學校，不予置評」是沒有擔當、推卸責任的話，上面人不願扛責任，下面人也就不願盡心了。比較令人擔心的是這個學生又考上了成大研究所，如果他將來畢業後去做老師，不知他的學生品德教育會是如何。台灣如果持續這種只重視成績不管品德的作風，以後還會有無數像某國立大學擋救護車的「蕭中指」出現。

英國的格林爵士說，現在學校教育的目的不是在教什麼有用的東西，因為知識進步太快了，冥王星不久以前還是九大行星，現在就不是了，所以學校要教的是求知的方法，而不是知識本身。人格和情操才是學校教育的重心，目前我們台灣教育缺乏就是培養學生的人格和情操，對這一點，父母、老師和社會都有責任。

一件不對的事，社會上若沒有口誅筆伐，很容易讓孩子看到了去模仿，誤以為他也可以這樣做。印象最深刻的就是有位國小老師告訴我，她在改作業，學生進來報告：「老師，某某在爬置物櫃。」她說：「知道了，叫他不要爬。」過一下子，學生又進來報告：「老師，他不聽，還在爬。」老師等改完作業出去看時，換那個進來報告的孩子在爬置物櫃了。

社會上有多少壞事會蔚成風氣就是因為做壞事的沒有得到應得的懲罰，「反正他做了都沒怎樣，我不做就是傻瓜」，積非成是，世風就日下了。所以不可以姑息養奸，錯誤的觀念要馬上導正。

台灣遇事喜歡用立法來亡羊補牢，但是執法不嚴，等於無法，反而會因噎廢食，為防弊而使原來立意良好的法令滯礙難行。防弊不如興利，不可為了少數人的惡行，使有心要做事的人做不動事情。我們的會計法毫無彈性便是一例，反而造成許多人去做假帳或像某國立大學一樣，買上億元的碳粉來消化預算。

前一陣子鬧得沸沸揚揚的霸凌事件，大家異口同聲說立法，其實霸凌背後的原因很多，不是立法能夠解決的，我們應該從樹立典範來導正社會風氣，而不是靠立法。柏拉圖說「行善給我們自己力量，也激發別人行善」，陳樹菊的典範就激發了很多人來行善，因為人的大腦中有鏡像神經元專司模仿，典範在於上行下效，孩子會因為崇拜典範而不知不覺去模仿他的行為，領導人的清廉可以將社會風氣導正。

同樣的，一個撿到錢財可以要求留置金的新聞就馬上使人有樣學樣，連撿到狗都要求留置金。幸好最近有好幾個清寒人士拾金不昧之事受到總統表揚，稍微可以挽回一些氣勢。

教育的法是影響一個國家最深遠的法，它保障了學生受教育的權利，也保障了老師思想的自由。但是法不能訂得太細，因為時代改變得太快，訂得太細會沒有彈性，阻礙社會進步；訂得寬鬆時，解釋法條的人就必須有前瞻性和國際性，站在時代尖端來引導社會前進。在台灣，自由是一個常被誤解的觀念，基本上，你要先盡了你的義務，才有權利享受這義務帶來的自由，它不是無限上綱。教育是國家的根本，對它法令的解釋不可不慎。

第3篇

人與我

在現在工業化的
水泥叢林社會中，我們必須
創造出自己的社會支持，
每個人若能先伸出自己的
兩隻手幫助人，別人回報你的手
會以等比級數上升。

人與我

1 助人為幸福之本

在公車上看到一則廣告「手作幸福」，覺得非常正確，因為神經科學的實驗發現：要幸福僅有善念是不夠的，還須實際動手做，即便只是舉手之勞，大腦愉悅中心的血流量就不同。人從跟受助者的互動中使大腦產生多巴胺，得到「自己還有用」的愉悅與滿足的感覺，這種感覺會增進免疫系統，使我們更健康，更能幫助別人。

過去，我們雖然知道心情與免疫系統有直接的關係，但是免疫系統的什麼卻不是很清楚，最近有實驗發現主要是T淋巴細胞和巨噬細胞。這個實驗以法律系學生為對象，因為美國法律系是學士後才去念的，生活壓力比一般大學生大。實驗者在他們皮下注射已被高溫殺死的腮腺炎病毒，看他們身體對侵入物的反應，同時做情緒的調查，即第一天早上來到實驗室，填情緒量表，做情緒反應測量，然後進行皮下注射；下午放學時再來做情緒調查。第二天一早和放學時都得來實驗室做情緒的調查。第三天（也就是注射後四十八小時）到實驗室檢查免疫反應的程度，看是免疫力的什麼在做反應。結果發現好情緒可以啟動免疫系統，尤其是巨噬細胞及T淋巴細胞，幫助身體抵抗外侮。這就難怪得了肺腺癌的單國璽主教，每天還能風塵僕僕的上山下海演講，活得比醫生給他的時限長。情緒的威力真是不可忽略。

所以幸福是自己打造的，千萬不可自尋煩惱。有一句話說：「沒有任何的地牢比心牢更幽暗，沒有任何的獄卒比自己更嚴酷。」沒有人可以使你不快樂，只有你自己使你不快樂。也有人認為朋友多就會快樂，何必去服務他人。其實這要看是什麼樣的朋友，酒肉朋友，雖多無益，反而更沮喪。最近亞歷桑納大學做了個研究：讓受試者身上配帶一部電子啟動的錄音機，每十二秒啟動一次，錄下三十秒的聲音，連續四天蒐集受試者白天的活動情形，然後請不知情者判斷這段聲音的內容是有深度的討論（如：你父母離婚是什麼時候的事？你難過嗎？），或是無意義的哈拉（如：你在吃什麼？熱狗嗎？），然後把這些談話記錄與受試者的生活滿意度量表、主觀與客觀的快樂指數求相關，每三個星期做一次。結果發現只有深度、有意義的談話才會帶來快樂和幸福的感覺；膚淺、言不及義的聊八卦、亂哈拉反而使人更沮喪。快樂的生活是建立在社會化及有深度的對話上，而非膚淺的閒聊。

「手作幸福」是正確的，要減少健保開支，不妨從國民的精神健康著手，鼓勵人民做志工，從行動中使自己快樂，自己身體好，別人得幫助，利人利己，何樂不為？

2 人與我
學學神經行銷學

有位企業家在前往舊金山一家餐廳用餐時，一位手持「Homeless, PLEASE HELP」牌子的遊民，上前去跟他討錢。過去他都是用一兩塊錢美元把他們打發掉，那天，他心血來潮便跟那位遊民說：「你這塊牌子太沒有說服力了，舊金山有幾百個遊民都在要求幫忙，為什麼人家應該給你錢而不給他們錢呢？你要跟別人不一樣才行。我現在先給你兩塊錢，你讓我在你牌子的反面寫一個新的標語，我保證會有不同的效果。等我吃完飯出來，你若還在門口，我再給你五塊錢。」

那人半信半疑的答應了。

等他用完餐出來時，那人果然還在，但是拒絕接受五美元，反而堅持要給他十元，因為那個新的標語替他在兩小時內要到了六十美元，遠超過他平常討到的錢，他非常感激，非給他十元的報酬不可。

這新牌子上寫了什麼？「What if YOU were hungry?」（假如是**你**在挨餓呢？）這

句話打動了人們的心，人饑己饑，人溺己溺，就紛紛解囊了。

這面新牌子有效，因為它一箭射中了人們做決策的地方——大腦中最古老的腦，叫「爬蟲類的腦」，四千五百萬年前就演化出來，連鱷魚都有的，後來再從它演化出我們現在的腦。既然做決策的是它，當然要打動它才會有效。

這個古老的腦有幾個特色：第一是自私，它只想到「我」，不會替別人想。假如有人在這個古老的腦前面倒下了，它並不會想去扶他，只會慶幸「不是我」。因為演化是無情的，一個人先要自己活著才有能力顧別的。它的演化任務是活下去、做「戰或逃」的決策，其他一概不管。

所以要引起別人的注意，必須把重點放在對方身上，要說「你」怎樣，而不是說「我」怎樣。一提到「你」，對方的大腦就立刻注意了，這是為什麼牌子上的話要改成假如是「你」在挨餓呢，管情緒的杏仁核被活化了以後，同理心隨之啟動，錢就掏出來了。

它的第二個特色是對立。古老的腦只注意對立的訊息，因為對立的東西對「我」可能有害，不可以不注意。老師在班上常常只注意搗蛋的壞學生，對好學生視而不見，因為壞學生會干擾他教學。媒體和政客最會操弄對立，唯恐天下不亂，因為若是不亂，人們的注意力怎會到他身上？於是立法院要打架、媒體要血腥煽情了。

第三是訴求簡單明瞭。因為古老的腦沒有語言，只能用最簡單的話溝通，不可用假如、可能、不過等語氣。

我們的大腦是個會思考的感情腦，而不是有感情的思考腦。（We are not thinking machines that feel, we are feeling machines that think.）促銷一定要動之以情，過去行銷人一定要懂人性，現在行銷人一定要懂得腦，這就是最近新興的「神經行銷學」（neuro-marketing），一個從大腦來看行銷的科際整合領域。大腦是人的總指揮，做什麼事都應該從腦來看，連討錢也不例外。

在現代，一個人怎麼可能不了解自己的腦！

3

人與我

給大學生的一封信

親愛的大學生，你們好：

希望你們看到我的名字沒有嚇一跳，沒錯，我就是寫雞腿事件的那位老師，不過不必怕，沒有人喜歡說教。今天，我想以一個四十多年前在台灣讀大學的過來人，跟各位談談人生的一些事。

不知各位有沒有想過為什麼要進大學？你希望在這四年中學到什麼東西？你可能會回答：進大學是為求知識，為將來出社會做準備。是的，進大學是要讀書，但讀書不是人生的目的，人生的目的是成大業、繼往開來，使這個世界因為有你而更美好。讀書只是手段，為成大業做準備而已。

這個「繼往開來」不是口號，是責任，叔本華（Arthur Schopenhauer）說：「人生最初的三十年是世間留給我們的教科書，最後的三十年是我們為它下的註腳。」承先啟後是我們對下一代的責任，任何文明的消失都是知識分子的恥辱。

讀書要讀自己有興趣的書才讀得進去，達文西說：「如同強迫餵食對身體不好，強迫讀書也不能吸收。」強記的東西背過就忘，所以找出自己興趣是第一大要事。

另外讀書一定要理解，理解之後，才會看到這個知識與別的知識之間的關係，以及它在整體架構上的位置。當你看到這一點時，你會豁然貫通。這個開竅的快樂難以形容，人世間還沒有什麼東西比得上它，讀書讀到這個地步就「入門」了。

很多人抱怨沒有時間讀書。其實這是藉口，因為時間是自己找的，端看自己把閱讀放在哪個優先順序而已。你不妨拿枝筆，記錄一下你每天看電視、說閒話的時間，就了解為什麼莫泊桑（Guy de Maupassant）說：「不知有多少能夠成大業的人，因為把時間輕輕放過，以致一生沒沒無聞。」

人都是二十四小時一天，但是魏晉南北朝時，董遇說：「讀書有三餘，夜者日之餘，冬者歲之餘，陰雨者時之餘。」這三者最可以利用來讀書。白天忙完了俗事，晚上窩在棉被中讀自己喜歡的書，看到眼睛睜不開時自然入睡，是人生一大樂事。

張潮在《幽夢影》中說：人生有五福：「有工夫讀書謂之福，有力量濟人謂之福，學而著述謂之福，無是非刺耳謂之福，有多聞直諒之友謂之福。」想想看，人生能像達爾文一樣，不必為生活奔波，讀自己喜歡的書，當然是一大福；有力量濟人，表示自己衣食過得去，自然是一福；能著述，表示學有所成，也是一福；無是非刺耳，那是最大福，你們將來入了社會就會發現，人事傾軋是最痛苦的事；若能有像管仲、鮑叔牙或俞伯牙、鍾子期那樣的知心朋友真是最幸福的事，人有一個知心朋友就不會得憂鬱症，有三個知心朋友就快活如神仙了。

另外，不要太在意障礙和缺陷，很多人都以為改正缺點就會變好，其實不然，能換個想法，把阻力變助力才是重要。

人的心是自由的，不要用世俗的眼光束縛它。二次世界大戰結束後，各國都在盡力復甦經濟，澳洲也不例外。澳洲大陸東面有一層很厚的珊瑚礁，阻擋了商船進入，因此有人建議用黃色炸藥把它炸個缺口，好通商。大家都覺那是唯一的路，幸好有人反過來想：如果把買黃色炸藥的錢拿來蓋機場，遊客坐飛機進來，再租船出去浮潛，不是保留了珊瑚礁，沒有破壞環境還帶來商機嗎？結果這就是現在的「大堡礁」，它是澳洲最吸引觀光客的勝地。

心念一轉，障礙就不再是障礙，阻力就變成助力了。因此人生的態度很重要，一塊大石頭頂在頭上會滅頂，踩在腳下是墊腳石，凡事要樂觀、往好的方向看，人生才會快樂。伊比鳩魯（Epicurus）說：「帶來痛苦的不是事件本身，而是我們對事件的看法。」你的態度決定你的命運。坊間很多教你如何成功的書都是以錢為標準，以為有錢就是成功，那是錯的。成功的定義是有意義、快樂的過一生。

要快樂的過一生，你的良心一定要「安」。人最怕到了晚年躺在安寧病房受良心的折磨，因為世事很多不能逆轉，而悔恨是最痛苦的。所以古人說：「寧走十步遠，不走一步險。」無罪以當貴。聖嚴法師說：「心安便是平安，平安便是幸福。」完全正確。

在社會上工作，免不了有讒言，那時，要記得「止謗，無辯也」，毀謗就像白紙染黑墨，不動就不會擴散，越描反而越黑。世間事「路遙知馬力，日久見人心」；英諺也說「真相是時間的女兒」，時間自會還你清白。倒是你要慎言，因為禍從口出，出社會後一定要記得「開口神氣散，舌動是非生」，不說話，人家不會當你是啞巴。

遇到不順心的事，不必抱怨，福禍本是捻在一起的兩根繩子，古人早就告訴過你「福兮禍所伏，禍兮福所倚」，塞翁失馬，焉知非福。倒是得意時要小心，不能太快意，以免招嫉。要知道「存心怨別人，都是別人錯，要得人如我，除非兩個我」，要學習不要抱怨，抱怨不能解決問題，只會浪費你的力氣而已，不抱怨才能看到解決的方式，人要把精力投在對的地方，才能成大事。

最後，我以父親在我出國時告訴我的話做為結束，這句話過了四十二年還是一樣好用。父親說：「人不可能樣樣都要、樣樣都有，先做完必要做的，再去做你想要做的，就不會有內疚。人生選擇的順序是健康、家庭、事業：沒有健康萬事皆空，它是第一優先；家庭和事業是家庭優先，因為有家庭，事業可以再起，有事業沒有家庭，事業是空的。」

人生的路可以坎坷，也可以平坦，看你的選擇。立好志向，掌握住自己的時間，腳踏實地往前走，不要擔心起步晚，「有志不在年高，無志空活百歲」，只要努力去做一定有成功的一天。

敬祝各位

人生圓滿快樂！

洪蘭　敬上

4

人與我

創造自己的社會支持

母親的生日快到了，我們問她最想要什麼，她毫不猶豫地說：想回到我們小時候的日子。我們都不解，小的時候，大的要吃，小的要穿，整天大哭小叫的，有什麼好呢？她說：那時，生活雖苦，工作繁重，但是左鄰右舍如一家人，做什麼事都一起做，從來不寂寞。

的確，我小時候，街頭巷尾都是日本式平房，沒有圍牆，只有籬笆。我們去找同學都在籬笆外喊，從來不曾按過門鈴。問路時，也沒人說地址，只要說找誰家的大嬸婆就知道了。母親的粽子是跟對面陳媽媽學的，陳媽媽是台南望族，吃得講究，包的粽子是傳統式的，有稜有角；她的蘿蔔糕是跟隔壁霍媽媽學的，霍媽媽是上海人，點心做得又精緻又道地。

母親說，現在住公寓了，鄰居老死不相往來，她懷念當時雞犬相聞、守望相助的日子。

心理學上有很多的實驗都顯示「社會支持」（social support）是人在逆境時，度過難關最重要的因素，它對健康有直接的關係。例如在美國費城附近有三個小城，生活飲食型態都很相似，且共用一家醫院，所以連醫療設備、一切都相同，但是有一城的心臟血管疾病死亡率明顯低於另外兩城。研究的結果發現，原來這個長壽城的居民多半是義大利南部移民，熱情好客，對同鄉很照顧。

義大利家庭與我們中國家庭很相似，結構緊密，一表三千里，假如有人去醫院生孩子，這個媽媽不用擔心家中無人煮飯，她的小孩自然有鄰居餵得飽飽的；家中若有人住院，要去探病，也不必叫計程車，自然有人會順道載一程，他們的口頭禪是「沒有什麼順不順路，多拐個彎就到了」。小孩子要逃學，還沒走出城就被逮到送回來，因為學校在另一個方向。

這種禍福共享、患難相助的感覺，正是最能激發大腦中跟正向心情有關的多巴胺等神經傳導物質及激乳素等荷爾蒙。實驗者發現：社會支持可以減少心臟血管方面的疾病，快樂的人較長壽，所以他們在統計數字上就突出了。

在現在工業化的水泥叢林社會中，我們必須創造出自己的社會支持，每個人若能先伸出自己的兩隻手幫助人，別人回報你的手會以等比級數上升。要抵抗憂鬱症、老人癡呆症等慢性疾病，「社會支持」大概是最有效、最節省社會成本的方式了。

5

人與我

「圓」來如此

春節，一元復始，萬象更新。

大自然是個生生不息的循環：春、夏、秋、冬，生、老、病、死，來自塵土，必歸塵土，它是個圓。世界上幾乎所有的民族都偏好圓，就連剛出生的嬰兒也偏好圓，當實驗者給他們看各種幾何圖形時，他們凝視圓形的時間最長；他們也偏好左右對稱：給嬰兒看上下對稱和左右對稱的圖片，結果發現他們凝視左右對稱的時間最長，其次是上下對稱，不對稱的圖片看得最少。我們對這實驗的結果不驚奇，因為圓就是最完美的對稱。

很多民族崇拜太陽神，但是信太陰教的人就少很多，因為月有盈虧，並非永遠是圓的。

人為什麼這麼喜歡圓呢？因為大腦喜歡有條理、有規則、週而復始的刺激。中國人喜歡圓桌吃飯，每個人跟圓心是同等距離，挾菜的機會相等，說話時彼此聽得見，不像外國人坐長桌，首尾不能相顧。中國人認為圓滾滾的孩子有福相，圓是吉利、完美無缺。同時圓是有始有終，而有始有終正是品德評量的一個標準。

圓其實更是無始無終，任何一點都可以是起點，只要一定了起點，它旁邊就是終點，隨便自己的心怎麼看。在心理學上有個實驗，它成功的關鍵就在圓。實驗者登廣告徵求受試者來做一個視覺判斷的實驗，當受試者準時到達實驗室時，外面已有六個人在等了，他一出現，實驗者馬上高興的說：「好，人都到齊了，可以開始了。」這使得剛到的受試者沒有機會跟別人交談，不知道他是唯一的受試者，其他六個人都是研究生假扮的。

進去後，實驗者請他們隨意圍著一張圓桌坐下，因為是自己挑的位置，他不會疑心實驗者有動手腳。實驗者指著他旁邊的人說：「好，從你開始，順時鐘方向，請每個人大聲說出銀幕上A、B、C三條線條中，哪一條跟先前出現過的線條一樣長。」正確答案是C，B比C短了四分之三吋，所以當他聽到隔壁人選B時，他大吃一驚；但是在聽到三個人都選B之後，他會對自己的判斷失去信心；當五個人都選B時，他便放棄自己的判斷，跟著別人選B了。

這實驗的關鍵在圓桌，不論受試者坐在哪裡，只要從他旁邊的人開始，他永遠是最後一個回答的人，這就是社會壓力的著名實驗。圓的妙用在：主人既尊重了個人意見，又掌握了控制權，難怪中國人要說「圓融」，事緩則圓了。

春節是一年新的開始，但是只要自己願下決心，每天都可以是新的開始。過去雖然要春天才能播種，但是人發明了溫室，現在四季都可以種植了。我們也是隨時可以洗心革面，從新開始。

丹麥的哲學家齊克果（Soren Kierkegaard）說：「生命只有走過才能了解，但是必須往前看才活得下去。」過去的一年已經過去，讓我們往前看，迎接新的一年，從頭開始，追求我們人生的圓滿。

6

人與我

雪中送炭，善念長存

在一張舊報紙上，偶然看到一則讀者投書，一對失業的夫妻去就業服務站尋求幫助，受到了冷漠的待遇，工作人員喝茶、聊天、看報，就是不來服務他們。太太忍無可忍，投書報紙訴諸公論。我看了以後很感慨，「雪中送炭」的滋味是沒有落魄過的人無法領會的。

紐約大學的曼吉（Irshad Manji）教授說，十月三十一日是她們家非常特殊的一個日子，全家聚在一起禱告。他們不是紀念萬聖節，而是為那一天幫助過他們的一名移民局官員祈福，因為這一天是他們逃出烏干達、抵達自由世界的日子。

一九七二年八月，烏干達的獨裁者阿敏（Idi Amin）宣稱猶太人是吸血鬼，沒收他們的財產，限他們三個月內離開烏干達，不走就處死。他們家在烏干達已經兩個世代，只有烏干達護照，沒有任何其他國家的護照，無處可去。到期限的最後一週時，因為知道阿敏的殘暴，留下來一定死，她母親便帶著她和兩個妹妹上了飛往加拿大的班機，在萬聖節那一天抵達蒙特婁。

蒙特婁機場擠滿了烏干達來的難民，一位神情疲憊的中年移民局官員用法文問她母親：「你們為什麼要來蒙特婁？」她母親因為生長在比屬剛果，會講法文，聽到這問題不知所措，看著三個不到七歲的孩子便說：「女士，因為我要活下去。」

這位女士看到她母親在發抖，便和善的說：「不要緊張，我是看你的女兒穿的都是熱帶的衣服，蒙特婁冬天是很冷的，曼吉夫人，你看過雪嗎？」她母親非常害怕加拿大會不准她們入境，緊張到脫口而出：「我沒有看過雪，但是假如讓我留下來，我很願意看它。」這女士便微笑的說：「那你來對了地方。假如你不反對，我想把你們安置到氣候比較溫和的地方去。」

她在文件上蓋了一些章後，她們就上了飛機到達溫哥華。在那裡，曼吉教授說，她愛上了雨，也開始新人生。

她說這位女士大可以拒絕她們入境，或不理她們，把她們送到難民營讓別人處理。但是這位女士沒有這樣做，在執行公務之餘，多了一點人情味，問了一下她們的情況，給了她們一個最接近她們原生氣候的地方，讓她們在舉目無親、走投無路時，感受到雪中送炭的溫暖。

她們從來沒有忘記萬聖節這一天的奇遇，她母親一直在尋找這位女士，但是沒有找到。後來阿敏死了，她以為她母親一定會鞭屍阿敏，以洩心頭之恨，結果並沒有。母親說阿敏對猶太人的恨給了她們一個機會，讓她們看到人是可以有選擇的，人可以選擇為善或為惡。所以在萬聖節這一天，她們腦海中想到的不是阿敏的惡，而是對移民局官員的感恩。

我父親說「人在公門好修行」，在急難時，伸一下援手；在沮喪時，給一個微笑，雪中送炭會使落難的人有面對明天的勇氣。最近台灣有百分之五•六的失業率，同舟共濟是唯一可以度過這個難關的方法。願大家都有曼吉夫人那樣的胸襟，選擇去看人性善良的一面，日子一定可以過得下去。

7

人與我

年老可以是優勢

我慌亂的在皮包中翻找，馬上要上課了，隨身碟卻找不到。正準備把皮包整個倒出來徹底找時，助教進來了，把隨身碟交給我說：「老師，檔案已經灌好了。」我望著隨身碟啞然失笑，原來我一進教室便把隨身碟給她了，我卻忘得一乾二淨，自己嚇自己，嚇出一身冷汗。

當我把這件事講給同事聽時，他們第一個反應便是「人老了，就是這樣」，我卻不認為是如此。年輕人找不到東西會說找不到，為什麼我們找不到東西卻要把它歸因到年齡上？美國的專欄作家薩菲爾（William Safire）在報上稱六十四歲的影星哈里遜福特為中年人，結果被讀者嗆「你以為他可以活到一百二十八歲嗎？」我看了覺得很不解，人都會老，為什麼又歧視老？我們常常只看到年齡帶來的限制，卻忽略了年齡也有優勢。

其實人的認知能力並沒有隨著年齡而下降，中年的腦表現的並不比年輕的差。美國有個研究，自一九五六年開始，系統化的追蹤六千名二十歲到九十歲各種行業的人智力的表現，每七年測試他們的認知能力一次，結果發現四十到六十歲的受試者，六個測驗中有四個，在中年時的表現比他們年輕時來得好。

這四個測驗是：詞彙（你能認得多少字及找出它們的同義詞）、短期記憶（一次能記住多少個字）、空間能力（可以多快的辨識出旋轉了一百八十度的物體），以及推理能力（如 143254365 後面應該接什麼數字？答案為4然後是76，因為 1-43, 2-54, 3-65, 4-76）。其中邏輯推理，男女性都在中年時表現到達顛峰，只有數字能力（可以多快做加減乘除）和反應速度（看到訊號能多快按下反應鍵）略遜二十五歲時的自己而已。

最近大腦掃瞄也支持了中年是智慧顛峰期的說法：二〇〇一年，有個實驗掃瞄七十位十九到七十六歲的受試者，發現在額葉及顳葉這兩個跟語言有關的腦葉，大腦白質（神經纖維上面包的髓鞘）一直有增加的現象，且在五十歲左右到達頂峰。

這個實驗證實了哈佛大學以前看到髓鞘會隨著年齡一直增加的發現，這所謂「中年的智慧」（middle aged wisdom），也跟「柏林智慧專案」（Berlin Wisdom Project）所得到的結果相似。「人到中年」並沒有那麼灰暗，相反的，實驗指出中年其實是人生的顛峰。

中年人處理事情比年輕人圓融，所謂事緩則圓，事情容易辦得通。當實驗者放憤怒的短片給年輕和中年人看時，他們的杏仁核都有活化，但是中年人還多了控制情緒的前額葉的活化。中國人說「老謀深算」「薑是老的辣」，中年人懂得衡量情勢，控制情緒、不魯莽、不會因小失大。難怪美國的總統候選人必須三十五歲以上才有資格參選，我們也規定必須滿四十歲才可以競選總統，顯然「嘴上無毛做事不牢」。

年紀大不見得是壞事，人不必怕老，只要時間過去，換取到經驗與智慧，就沒有白過一生了。

人與我

8 一飲一啄感恩於心

最近台北一直下雨，心情難免因天氣的陰沉而有些低落，北歐國家有季節性憂鬱症就是因為天氣的關係。在擁擠的捷運上突然有位小姐站起來讓我坐，我微笑著謝謝她，很高興的坐下，心情即刻好了起來，天空的陰霾馬上一掃而空。

我想起有位小學校長要求他的老師每週至少跟他報告一次這週最快樂的事，因為他不願離職時，腦海中滿是老師抱怨的記憶。老師們因為要思索快樂的事心情變好了，老師微笑多了，學生挨罵少了，就比較聽話了。校長雖然八月一日才調來，但是短短幾個月，校園的氣氛就不同了。

這件事讓我很感慨，人都需要關懷，俗語說「叫人不賒本，舌上打個滾」，為什麼不多微笑、多與人打招呼呢？美國有個研究發現，家中一直收看CNN新聞的孩子長大後比較悲觀，人要常想些快樂的事才會利人利己。

十二月是個感恩的月份，台灣每個角落都有感人的事：例如花蓮有所國小要下山比賽，但是沒有衣服，法國巴黎銀行的員工就替每個孩子買一套新衣。店員小姐知道是送給原住民孩子的之後，就主動告知哪些是打折品，並按照孩子的尺碼把上衣和褲子都配好。當快遞來拿時，知道是送給山上孩子的，主動打折。這種接力式的愛心，讓我們看了很感動。

陳敏薰還是台北一〇一董事長時，我帶了三十幾個南投縣仁愛鄉的孩子去參觀一〇一大樓，到了才知要門票（只怪我自己孤陋寡聞）。一時間沒那麼多錢，正在著急時，陳敏薰知道了，親自下來帶我們上去。不但詳細導覽還送每個人一套明信片，教他們怎麼寫信、怎麼貼郵票，幫每個孩子寄了一張蓋有一〇一郵戳的明信片回家報平安。那是他們第一次到台北、第一次寫信、第一次有陌生人對他們這麼好。當時還有兩個孩子一直去摸陳敏薰，因為不曾看過這麼漂亮的人，她一點都不在意。這件事我永遠感恩在心。

還有位電子公司的大老闆拖著我跑蘇澳，因為看到上次水災後，有個老阿婆家裡沒有電燈，他帶了燈管和工具，親自去替阿婆裝電燈；其他捐書捐衣的人不計其數，我常下課回家就看到門口放著一箱箱的書和衣物。這些善意帶給孩子溫暖，讓他們知道有人在關心他們，使他們努力向上。

在孩子成長的過程中，我們要給他們希望，讓他們看到人性美的一面，覺得人生是光明的、值得活的。美國加州曾經做過一個七千人九年的大型研究，結果發現有社會支持的比沒有的多活二到三倍的時間。

人從社會互動中得到滿足，因為互動會產生腦內啡，減少痛苦和寂寞。在一年的終了，希望大家都能以一顆感恩的心感謝這一年來替我們服務的許多不知名的人。

阿美族在取樹皮做衣時要禱祝：「請允許我從你身上取樹皮做衣，請接受我放在你樹根的石頭做為回報。」當我們對一絲一縷、一飲一啄都懷著感恩的心時，我們會活得很快樂。

9 社會智能：人際關係的新顯學

孟子說：「誦其詩，讀其書，不知其人，可乎？是以論其世也，是尚友也。」要真正了解一個人的著作，就必須知道他的人生經歷，才知道為什麼他會寫出這樣的文章來。

《SQ》（*Social Intelligence*, 中譯本時報文化出版）這本書的作者丹尼爾・高曼（Daniel Goleman）一九四六年生於加州，父母都是教授，家中藏書豐富，所以他從小博覽群書，使他後來在寫東西時能旁徵博引、辭藻豐富有變化，不會枯燥。他是哈佛大學的高材生，曾任《紐約時報》的科學記者十二年，他文筆流暢，能把複雜的科學概念簡單扼要的表達出來，他說這些都歸功於他小時候大量的閱讀。他的《EQ》這本書在一九九五年出版後，高居《紐約時報》暢銷書排行榜十八個月，在科普書中是很難得的。

深入淺出是他著作的一大特色，讀者在本書中也可以感受到他文章的行雲流水，使人在不知不覺中就把書看完了。《ＥＱ》暢銷的另一個原因是他把很多人心中的疑惑寫了出來，並且提供很好的答案。過去大家一直是注意ＩＱ，很少人談ＥＱ，當然更少人談這本新書的主題：社會智慧（Social Intelligence, SI），其實ＳＩ是ＥＱ的延續，是ＥＱ的神經機制及行為表現的結果。出了社會的人都知道ＩＱ不是成功的要件，ＥＱ才是。ＩＱ不過是個門檻而已，達到某個程度的ＩＱ表示拿到准考證，可以到職場與人廝殺、逐鹿中原而已，跟成敗的關係不像ＳＩ那麼關鍵。

《ＥＱ》出版後校正了很多人只重知識智慧的偏差，現在這本《ＳＱ》又更進一步，用大腦實驗的證據解釋人的社會行為。他引用的實驗證據都很新，表示作者沒有因為《ＥＱ》的暢銷，使他衣食無憂而懈怠下來，敬業精神令人敬佩。

我在大學教「腦與行為」時，第一週的參考書用的是《星期五的腳印》（*Friday's Footprint*, 中譯本遠流出版），我用它的目的跟這本書一樣：了解大腦發展的原因。當魯濱遜飄流到荒島上時，他以為是個無人島，只有他一個人在這島上，當他在沙灘上看到另一個人（即星期五）的腳印時，他立刻知道，從今以後生存的策略要不同了，他要改用社會策略了，這就是作者說的「雙人心理學」（Two-Person Psychology）。

人的腦會發展到這麼大、用掉身體這麼多的能源是有原因的（我們的腦大約三磅，佔體重的百分之二，但是用掉身體百分之二十的能源），因為人是社會的動物，彼此的關係又這麼錯綜複雜，必須有很大的腦才能處理這些一表三千里的裙帶關係，誤把敵人當心腹的代價是很慘痛的。

我們的腦是「社會的腦」（social brain），人離群就不能生存。古代懲罰犯人的方式就是把他驅逐出團體，沒有團體的庇護，人很快就會死亡。天主教到現在還是有「逐出教會」（excommunicate）的懲罰。所以每個人都得有社交技巧，必須依附到某個團體上，「社會腦」的出現就是因應這個需求。對這方面有興趣的讀者可以參閱羅賓・鄧巴（Robin Dunbar）的《哈拉與捉虱的語言》（*Grooming, Gossip and the Evolution of Language*, 中譯本遠流出版）。

大腦演化的驅力有一部分是來自人類社會化的需求，這一點目前應該是沒有爭議的。事實上，在本書的序言中，作者所舉的休斯上校的例子就是最好的證明：美軍進入伊拉克後，荷槍實彈要去清真寺散發救濟物質，但是伊拉克人民以為美軍要摧毀他們的聖堂，於是人民包圍清真寺，群情激憤，劍拔弩張，情況一觸即發。休斯上校急中生智，命令士兵槍口朝下，面帶微笑，單膝跪下，這樣就化解了一場危機。

當雙方語言不通時，笑容、臣服的姿態是最原始的善意訊息，動物打輸時，輸者會把牠最弱的地方露出來，如腹部，然後壓低身體作臣服狀，在電影《國王與我》（*The King and I*）中，尤伯連納所飾的暹羅王故意坐得很低，使黛博拉寇兒飾的安娜必須趴在地上以免她的頭高過國王。休斯的急智救了他的士兵，也免除老百姓無辜的流血。像這種「社會情境盤算」（social calculation）是所有領袖，包括動物在內，必備的條件，它與掌管「戰或逃」情緒中心的杏仁核及掌管策略的前額葉有關係。這種大腦的神經迴路連接，是人類發展史上維繫我們生存的關鍵要素。

當然，不是所有的社會情境都如此驚險，但是有好的社會腦的人的確可以四兩撥千斤，化解危機。我先生剛接陽明大學校長時，他行事低調，不愛穿西裝打領帶，所以學生不太認得他。有一天我們要去實驗室，但是通往實驗室的路上停了一部車，擋住通道，我先生就下車，去男生宿舍找車主出來移車子，結果一個男生抱了一床棉被怒氣沖沖下樓來，嘴裡罵著三字經。我聽了不由得火大，擋人路還敢大聲罵人，真沒道理！正要出面跟他理論時，但見我先生對他一鞠躬說：「對不起，學生沒禮貌，是我做校長的沒有把你教好。」學生聽了楞了一下，面紅耳赤的把車子開走了。

所以社會智慧其實是人在社會上生存最重要的一項能力，我們台灣過去一向只注重IQ，只要會讀書，什麼都不必會，後來高曼的《EQ》出版了，大家看到EQ的重要性，開始推動EQ。現在我很希望他的SI也能像EQ一樣，喚起大家對必須在同一社會中共生共存的憂患意識，努力使族群和諧，生活融洽。只有沒有內憂才能抵抗外患，才能完成我們傳遞基因、永續生存的使命。

第4篇

腦與心

神經科學發現「自由意志
是個假象」，人在做決策之前的
五百毫秒，大腦已經先活化，
到行為出現之前的二百毫秒
才進入我們的意識界。

1

腦與心

難破的心中賊：右腦開發

王陽明說「破山中賊易，破心中賊難」，人的偏見一旦形成，九牛都拉不出。民國初年辜鴻銘拖著一條大辮子去北大上課時，學生哄堂大笑，他說：「我的辮子一剪就沒有了，但是你們心中的辮子恐怕就沒有那麼容易剪掉了。」的確，有形的易除，無形的難改，我們的心田就像一塊肥沃的稻田，沒有及早播種，野草一冒出頭，稻子就長不出來了。

我最近十幾年來一直致力於破除右腦開發的迷思，因為科學上根本沒有右腦先發展，過了兩年才發展左腦的事情。

從正子斷層掃瞄的影像中，非常清楚看到十個月大嬰兒的新陳代謝已經到達成人的地步，一直上升到五歲左右達到成人的兩倍半，再逐漸下降，到九歲時平緩下來。小學三年級在心智的發展上是個分界點，孩子開始開竅了。所以學制分成低年級和中、高年級。一、二年級課本很多圖片，是學習閱讀（learn to read）；三年級以後，課本沒有圖片了，是read to learn，把閱讀當做打開人類知識之門的工具。但儘管研究證據歷歷在目，坊間卻仍然充斥著右腦開發、潛能開發的迷思。前一陣子甚至發生父母花三十萬叫孩子去吞火以開發潛能的事，令人震驚。

在解剖學上，兩隻眼睛的左半部投射出去是右視野，右視野到左腦；兩個眼睛的右半部投射出去是左視野，左視野到右腦。並非右眼到左腦，左眼到右腦。所以叫孩子遮蓋一隻眼去啟發另一邊腦完全是無稽之談，但是直到現在還有人叫孩子用左手寫字、蓋住右眼來啟發右腦，完全不了解大腦是個合作無間的integrated的腦，只要中間的橋——胼胝體——沒有被剪斷，訊息的交換是快速無礙的。想想看，孩子右手寫字就已經寫得不好看了，還叫他用左手寫；兩個眼睛都近視看不清了，還叫他蓋住一隻眼看黑板，真是折磨孩子。

美國的老布希總統（George Bush）在他上任時說：這是腦的十年（It's a decade of brain），因為十九世紀的財富在土地，二十世紀的財富在勞力，二十一世紀則在腦力。創造力是決定勝負的關鍵，大腦變得很重要了，於是就有人開潛能開發班來賺父母的錢，但是人的大腦只有三磅左右，佔我們體重的百分之二，卻用到身體百分之二十的能源，我們是不可能只用到百分之十的大腦，而放任百分之九十的細胞吃飯不做事、閒閒沒事幹的。事實上，實驗顯示它一不用馬上會被指派其他的工作。

在歷史上，成功的人不一定最聰明，卻一定是最有毅力的人。毅力必須有熱情在後面支持，如何把孩子放對地方，讓他的能力發展出來才是關鍵，也是教育最終的目的。

布希「腦的十年」在上個世紀已經走完了，腦造影技術也使腦科學研究進步到可以推測到人的思考，但是我們的家長還在花大錢送孩子上潛能開發補習班、做皮紋檢測。看到坊間繼續在出右腦開發的書，誤導父母送孩子去受罪時，不由得想起王陽明的話，心中賊真是難破啊！

2 同理心女男大不同

自從一九九二年義大利的帕馬大學團隊在猴子大腦中找到鏡像神經元後，我們就看到了「人溺己溺」這個高貴同理心背後的神經機制，了解人為什麼肯把他省吃儉用的錢捐出來給別人用了。

美國有位黑人女士把她畢生替人洗衣的錢捐給了南密西西比大學作獎學金，她的十五萬抵得上別人的一百五十萬，因為那是她一分一厘辛苦攢下來的錢。記者訪問她時，發現八十七歲的她沒有車，每天得走一哩多去買菜，問她何不先替自己買部車時，她說把錢花在不需要的東西上是個愚蠢的行為。她只念到小學六年級，她希望別人可以有機會念書，不必洗衣度一生。

她的故事跟台灣的陳樹菊女士很相似，都是自己過得很節儉，卻很慷慨的幫助別人。這真是一種高貴的情操，但是研究發現男生女生在同理心的策略上有些不同。

美國南加大的研究者請男女受試者躺在核磁共振儀中，將手插入冰水裡，然後給他們看憤怒的面孔（人對憤怒的表情特別敏感，受虐兒對憤怒表情的辨識比正常人快了二十毫秒），再掃瞄他們的大腦。結果發現手插入冰水中的男生，大腦處理臉部的區塊活化得比手插在溫水中的控制組低，顯示在壓力下男生評估對方表情的能力下降了；相反的，手插在冰水中的女生對憤怒臉的處理反而比控制組的強，而且她們掌管情緒的迴路也更為活化，表示她們對別人臉上表情分辨得更好，還產生了同理心。

這個性別上的差異有演化上的關係：男生跑得快，一看對方生氣了，他先評估的是自己打不打得贏，如果打不贏，三十六計走為上計，跑了。既然跑掉了又何必在乎他有多氣？但是女生身上可能懷有胎兒，背上可能揹有幼兒，跑起來不是那麼俐落，所以女生會先想辦法結盟，化解危機。

在原野上，沒有母親的羔羊是活不過明天的。一個撒哈拉沙漠部落中的女孩，她的母親得痢疾死了，族人在埋葬她母親的同時，竟然把她未滿一歲的幼弟也一起埋下去，因為沒有了母親反正活不成，她等族人走了後，偷偷把弟弟挖出來，抱著他穿越撒哈拉沙漠逃離部落。

我們看到許多母親捨己救子的新聞，母親知道孩子是自己生的，有自己的基因，不像父親常不能確定孩子是不是自己基因的延續，所以大腦對同理心演化出不同的回應方式。

過去好幾個實驗都發現女性韌性強，雖然體力不及男生，其實是家庭的支柱。如果母親好、父親不好，孩子不太受影響；但是父親好、母親不好，孩子就變壞了。所以聯合國不斷提倡女童的教育，因為教育一個男童，你教育的只有這個男童，但是當你教育了一個女童，你是教育了整個家庭和下一代。

沒有孟母三遷，怎有亞聖孟子；沒有岳母刺字，怎有武聖岳飛。

3

腦與心

洗掉創傷記憶

美國有位退伍軍人在旅館上吊自殺，遺書上寫著「死亡是我脫離這痛苦記憶唯一的方式」。有個媽媽在伊利湖泛舟時不慎翻船，眼睜睜的看著兒子淹死，整整三年無法睡覺，眼睛一閉上就看見兒子滅頂的情形。像這種例子不勝枚舉。對這種每天受到痛苦記憶折磨的人，科學能不能幫一點忙呢？

透過對記憶本質和形成機制的了解，現在可以看到一點曙光了。

有一個實驗是請阿姆斯特丹大學的六十名學生看兩張蜘蛛的圖，一張圖伴隨著電擊，另一張則無。這個電擊會使學生產生眨眼的驚嚇反射反應，這個反射反應會活化大腦皮質下的情緒中心杏仁核。第二天再請學生做同樣的實驗，一組接受β受體阻斷劑（beta-blocker）的普潘奈（Propranolol）；另一組則接受安慰劑。普潘奈會影響腎上腺素（epinephrine）的吸收（腎上腺素出現時，記憶會變得生動鮮明，尤其正腎上腺素會使記憶記得很久）。在學生服了普潘奈後，給他們看蜘蛛的圖，想要再次激發恐懼的記憶；但是這次腎上腺素雖然出現，卻被普潘奈阻擋了，沒有產生效果。當第三天學生再看到蜘蛛圖時，接受普潘奈的那一組已經消除了對蜘蛛的恐懼，安慰劑的那組仍然有驚嚇反應。

這原因出在我們的長期記憶需要時間去穩定細胞膜上蛋白質的登錄（這是為什麼速讀只是瀏覽，不是記憶），一旦蛋白質完成任務後，記憶就變成永久的。但是在下次記憶被提取時，蛋白質又被形成一遍，每次提取每次改變蛋白質登錄（所以我們的記憶是不可靠的，它一直在改變）。

接受普潘奈的那一組在第二天提取記憶時，改變了記憶，他們記得看過這張蜘蛛圖，也記得這張圖跟痛的刺激連在一起，但是這個連接已經不再引發生理上或情緒上的反應了，因為β受體阻斷劑使恐懼反應消失了。

哈佛大學醫學院重複了這個實驗，給四十名有創傷經驗的受試者，聽他們自己口述當時被綁架、被強暴的錄音帶，結果安慰劑組有一半的人出現創傷後壓力症候群（post-traumatic stress disorder）症狀，而普潘奈組一個都沒有。

對飽受記憶折磨的人來說，這真是個脫離苦海的希望，但是也有學者反對，理由是洗掉人的記憶是不道德的。他們說「人生本來就有很多痛苦的事如：離婚、失業、失戀，這些痛苦經驗使我們珍惜身邊的快樂，變成更好的人」，不過這樣的比喻可能不恰當，因為失戀的痛苦無法跟創傷的痛苦比，就像市場的空心菜不能跟花博的比一樣的。

凡事都有正反兩面的理由，相較之下諾貝爾獎得主肯戴爾（Eric R. Kandel）的話更中肯些：「當社會要求士兵上戰場保衛國家時，社會就有責任幫助這些士兵走過戰爭的恐懼記憶。」台灣的天災很多，創傷的記憶不少，這方面的研究對台灣應有其必要性。

只是當「我」的記憶被洗掉後，我還是我嗎？

4

腦與心

左右不分的大腦

前幾天去參加一位長輩的告別式，因為鄉下地方沒有門牌號碼，只好一路問。我問到一位在門口剝豆子的老人家，她正好認識這位長輩，指示我走到丁字路口右轉，結果右轉後，越走越荒涼，心中想，該不會是左右弄反了吧？

結果真的是弄反了。

這個左右混淆在人類和動物行為上常看到，最近才剛展過名畫《蒙娜麗莎》，請問蒙娜麗莎是朝左邊微笑，還是右邊？她兩隻手交叉放在胸前，是左手在上面，還是右手？人不太區分左右，因為在演化上沒有這個必要，大自然的景色沒有左右之分，而且左邊來的老虎跟右邊來的老虎都一樣會吃人，看到老虎，管它是哪一邊，都要馬上逃命。

所以演化讓對稱深藏在我們的大腦中，連還不會爬的嬰兒都喜歡對稱的東西，他們看對稱的圖形比不對稱的久。大腦一旦學會某個形狀，便馬上登錄它的鏡像。在演化的過程中，對稱節省能量，是個有利生存的好策略。

當然祖先完全沒有料到後人會發明文字，使對稱變成閱讀障礙。

全世界的孩子在初學讀和寫時，都遭遇到鏡像分辨的困難，比如分不清b和d，p和q。我的孩子剛回台灣時，就一直把「都」寫成「睹」。因為文字的發明才幾千年，來不及登錄到基因上，所以大腦只好借調本來處理臉和物體的神經元來處理文字，而它們本來是左右不分的。因此學讀和寫時需要先把這個鏡像本能「反學習」（unlearned）。大腦的適應性很強，很快就不再弄錯，不過偶爾在閱讀障礙的孩子身上還有看到。

我們怎麼知道左右不分是大腦的對稱在作祟呢？

有個實驗是把鴿子的一隻眼睛矇起來，訓練牠單眼辨識垂直對稱，如V和Λ，以及水平對稱，如◢和◣。鴿子的眼睛跟哺乳類不同，牠們是左眼到右腦，右眼到左腦（而我們是左視野——兩個眼睛的右半邊——到右腦，右視野——兩個眼睛的左半邊——到左腦。坊間流行的矇眼來啟發右腦是完全錯誤的），鴿子學會後，實驗者矇住原來的眼睛，讓牠用另一隻從來沒有看過這些圖形的眼睛做選擇，結果垂直對稱沒有問題，但是左右對稱就一直犯鏡像的錯。如果把連接兩個腦半球的胼胝體剪斷，對稱訊息過不去，錯誤就消失了。所以閱讀時鏡像錯誤是大腦的對稱本能還沒有「反學習」的關係。

早期埃及的象形文字可以從左或右開始寫，如果是從左，那麼人和動物的頭都朝左；早期希臘的文字書寫方式則是牛耕式，從左到右，再從右到左，一直到後來才有固定的書寫方向：中文、阿拉伯文、希伯來文從右到左，其餘文字從左到右。

原始的對稱知覺本來是讓我們左右逢源，但是文字這個文化上的發明卻逼著我們選左還是選右，而且一旦形成不對稱，大腦演化的痕跡就會顯現在適應這個或左或右問題上。

「凡走過必留下痕跡」，歷史果然是反映在腦的演化中。

5

腦與心

大腦的創造與框限

最近國家戲劇院展出了朱銘大師的兩件新作，在劇院外面的是一個立方體，中間有個人手腳張開成大字型，好像要掙脫囚籠；在大廳中的是另一個立方體，框著一個人頭，內有個白色立方體，代表著腦。大師寫道：「人類創造了立方體，卻被立方體所框住。」

這句話細想起來很有意思：人腦創造了電腦，現在反過來要靠電腦來解開人腦之謎。東西既然是人創造的，為什麼反會被它所規範呢？

其實語言和文字就是人類的發明，但是現在人類思考反而受到它們的限制。比如說，全世界有四千多種語言，但是每一個幼兒在學說話時，都要經過單字、雙字、片語和句子的階段。為何不同語言會有相同的學習歷程？因為人類大腦的結構一樣，行為受到同樣神經機制的規範，就變得一樣了。

人的思想尤其受到語言這個媒介的影響。語言學中有個有名的「語言相對論」（

linguistic relativity）：愛斯基摩人對雪的名稱有很多種，乾雪、濕雪、刮風時下的雪等等，所以他們對雪的辨識比別人敏銳。他們創造了雪的名詞，這些名詞回過頭來改變他們對雪的認知。

又如中國人重男輕女，所以內外孫分得很清楚，英文的 grandparents 指父母雙方的父母，中國則區分祖父母和外祖父母，我們因為注重關係，所以創造出特別的名詞來區分它，這些名詞又回過來影響我們對這個關係的看法。

最好的例子是文字，不同文字在表音、表意層次上各有不同，但是全世界的兒童在初學寫字時，幾乎都有左右顛倒的現象，把3寫成ε、b寫成d等等。這原因是文字的發明才五千年，大腦中還沒演化出處理它的專門區塊，只好暫時借調處理臉和物體的地方應付一下。臉是對稱的、大自然是不分左右的，所以一開始還有原來的習慣，會把3寫成ε，挨打一陣子後就改過來了。腦的可塑性在環境壓力下發揮了功能，把物體知覺的一般性對稱原則轉化成文字辨認的不對稱特定需求了。

腦對視知覺的調適加速了文字認知的區辨，但腦適應後的變化卻影響了其他行為的運作歷程。緬甸文字在發展初期因沒有紙筆，只好把字用針寫在曬乾的棕櫚葉上，因為直線及轉角容易破裂，就以曲線代替，後來演化成一個又一個圓圈，是世界上唯一的泡沫文字。很有趣的是緬甸的民族舞蹈也變成手、腳、身軀都在畫圓圈。怪不得傳播學大師麥克魯漢（Marshall McLuhan）曾說：「溝通使用的載體本身就是一項訊息！」

盧梭（Jean-Jacques Rousseau）在〈民約論〉中說：「人生而自由，卻無處不在枷鎖中。」好像孫悟空怎麼變化也跳不脫如來佛的掌心。最近神經科學也發現「自由意志是個假象」，人在做決策之前的五百毫秒，大腦已經先活化了，到行為出現之前的二百毫秒才進入我們的意識界。我們以為自己是行為的主人，其實還是受到這個大腦的規範！

6 生死一線腦科學

最近因為腦造影技術的精進，改變了很多我們過去的觀念，甚至連意識的定義都改變了。

對外界刺激完全沒有反應的植物人，我們現在知道他們的內心可能是仍然有思維的活動。實驗者給昏迷了五個月到一年左右的植物人聽親人說的句子，或給他指令要他想像他在打網球、在自己家中走動，然後用功能性核磁共振或正子斷層掃瞄來看他大腦各部位的血流量。因為大腦在工作時需要比較多的血液來提供氧和養分，核磁共振是計算帶氧血紅素和去氧血紅素的差異，正子斷層掃瞄是直接算葡萄糖的代謝。

結果發現病人在聽到句子時，大腦處理語言的地方就活化起來了，但是對無意義的字串卻不會，表示病人聽得懂，或是保守一點的說，他知道那是有意義的聲音。至於想像的作業，大腦區域活化了三十秒以上，表示病人可以聽指令，用想像的方式把指令執行出來。

對可以自行呼吸的植物人來說，他的腦幹是正常的，他受傷的部位是大腦的皮質，所以他們有正常的清醒和睡眠週期。實驗者給清醒時的植物人看親人的照片，發現大腦處理面孔的地方有活化；若是給他看未婚妻的相片，就活化得更厲害。當把病人的大腦掃瞄圖跟正常人做同樣作業的片子放在一起時，竟然分不出哪張是病人的、哪張是正常人的，表示他們大腦內部活化的程度是一樣的，真是叫人吃驚。

有個後來醒來的植物人說：他當時被困在身體的繭中動彈不得，聽到醫生勸他父母拔管，心中真是又焦急、又悲憤、又無奈，幸好父母堅持不放棄，救了他一命。現在這個腦造影技術讓醫生在做判斷時，除了腦波又多了一個參考的指標。

因為腦造影是直接從大腦的血流量來推測大腦的活動，這對看不見、摸不著的犯罪意圖的界定有很大的幫助。大腦對法律的貢獻要歸功於一九九二年鏡像神經元的發現，實驗者發現猴子在看別人的手拿東西吃時，牠大腦運動皮質區掌管手指的部位會活化起來，但是牠看別人用同樣兩根手指頭在搔癢時卻不會，表示前者的活化跟牠吃的意圖有關。

實驗者給受試者看一個人手握著咖啡杯，如果背景是正要開始的茶會，桌上擺了刀叉食具，他的大腦會活化起來；如果背景是杯盤狼籍，表示茶會已經結束了，那麼同樣拿咖啡杯的動作就不會活化他的鏡像神經元。

像這樣的實驗設計如果繼續精進，未來法律比較可以做到勿枉勿縱。報載一個人冤枉被關了三十八年，後來因為ＤＮＡ的檢驗，才發現當時被證人指證歷歷的強暴案不是他做的，只是關進去時是個十九歲的少年，出來已是白髮蒼蒼的老者了。

人生不能逆轉，法律和醫學都是人命關天，這方面的研究非常需要政府與社會的支持。人死不能復生，在法官的判案上，我們尤其需要科學的幫助，希望藉由腦神經的科學研究，讓我們更了解生命的意涵。

7

腦與心

大腦不會說謊

教育部在推展有品運動，教學生做人要講誠信，要忠誠、正直、公平、正義。有學生問：誠信有什麼好處？為什麼所有的人類社會都發展出這種的社會規範？

從大腦上來看，「誠信」是個最節省腦力的過日子方式，腦造影的實驗顯示說謊時大腦工作得比說真話時辛苦得多，說謊要說到天衣無縫幾乎是不可能的事，只要是假的，就有被拆穿的可能，說一個謊要用十個謊來圓它，大腦就工作過量，人就覺得日子過得很辛苦。

有一個實驗發現說真話時，大腦動用到七個區塊，但是說謊時，十四個地方都得活化起來才能圓謊。謊話說多了一定會露馬腳，因為大腦沒有那麼多資源來記住曾經對誰說過什麼樣的謊，時間一久，記憶痕跡淡退，馬腳就露出來了。

「演化」就如哈佛大學的平克（Steven Pinker）所說，是個節儉的家庭主婦，算盤一打，何必說謊，誠實的過日子比較輕鬆。

警察在偵訊犯人時，常要反覆訊問，因為問的次數多了，大腦就記不得前一次講過什麼（這叫同質性的干擾），前後一矛盾，只好俯首認罪。當然，也有僥倖、搜不到證據的犯人，這時就只好等時間來解決，所謂「真相是時間的女兒」，時間久了，秘密就守不住，真相就出來了。

古代「秋決」是有道理的，人命關天，頭砍了接不回去，所以死刑都是等秋收之後再執行，一方面看看有沒有新證據出來，再一方面，行刑另有殺一儆百的作用，農閒時老百姓才有時間看熱鬧。

古今中外的法官都不敢百分之百確定伏法的人是真凶，因為人的記憶是很不可靠，而且眼見常不為真，會受到先前經驗的影響。但是現在有了直接觀察大腦活動的儀器後，好了很多，因為人會說謊，大腦不會，同一件事，說真話與說謊話大腦的血流量及活化的地方不同。

英國的實驗更利用大腦不同區域的活化情形，來推測受試者的意圖：實驗者先給受試者看支短片，同時掃瞄他的大腦，再請他回憶這支短片的情節，又掃瞄他的大腦，把前後兩次大腦活化的情形作比較，找出處理某個核心訊息的大腦部位，然後藉由活化區域反推這個人在動什麼念頭。也就是說，實驗者想不經由受試者的嘴巴直接從大腦中去推測他的想法。

這個技術一旦純熟，會像DNA用在犯罪偵查上一樣，使被受害人指證歷歷、「化成灰也認得」的被告冤枉得以澄清。這將是第一次在大腦中看到犯罪人的「意圖」（intention），而意圖在量刑上是個重要的指標，有道是「無心犯過者不罰」。用科學來辦案，用大腦來蒐證，是未來司法的辦案趨勢。美國已有神經法律學（neurolaw）了，台灣還待起步。但願科學能幫助法官做到歐陽修在〈瀧岡阡表〉中說的「求其生而不得，則死者與我皆無恨」的最高執法正義。

8 放膽打造自己的命運

一個學生哭哭啼啼來找我，她在美國留學時，認得了一個同所的男孩，雙方志趣相投，很快就成男女朋友，今年暑假相約回來見雙方的父母，想要結婚。想不到男方母親一看就激烈反對，說她手是斷掌，人中太短，八字與男方不合，有尅夫命，無論如何都不肯讓他們結婚，還叫她兒子轉學，把他們兩人拆散。

我聽了很驚訝，不能相信在二十一世紀的今天還有尅夫命這回事。想不到連續幾天都聽到這類消息：某人因算命的說他活不過三十歲，所以只交女友不結婚，薪水發下來就立刻用掉，一毛不剩；某人因為算命的說他四十九歲以後沒有流年可批，壽止於此，因此花天酒地，糟蹋身體，還包了二奶，因為既然要走了，要盡量享受一下人生才走。種種新聞讓我驚訝台灣為何科學越進步，社會越迷信。

不論古今中外，人會迷信最主要的原因是對未知恐懼，我們的大腦演化出來喜歡熟悉的東西和習慣的環境，因為熟悉的東西只要一點點大腦資源便可處理完畢。大腦尤其喜歡未雨綢繆，因為事先準備好，臨時就不會手忙腳亂，基因才容易傳遞下去。但是由於未來尚未發生，無從準備起，因此人祈求神靈以預告未來，以為這樣可以安心，孰不知這反而亂心，阻礙自己進步。

六祖惠能說「命實造於心，吉凶唯人召」，心好命又好，當然是富貴直到老，這是最理想的；命好心不好，福會變成禍兆，就好像天資好，不用功讀書，也不可能有什麼成就；心好命不好，禍轉為福報。我們的心最重要，心存仁道，天地自相保，不必去管人力以外的事。

人類喜歡算命，從河南安陽出土的甲骨文上都是問卜的事就知道，人類這種想預知未來的心態，真是從以前到現在幾千年來都沒有變，不管科學如何昌明，人對未來仍然恐懼，要破除迷信相當困難。很早以前我們曾經去靈骨塔統計骨灰罈上的相片是不是人中短的比較多、鬼月死的人有沒有比較多、離婚的人有無八字不合，結果發現都沒有，但是這些數據並不能改變人迷信的行為。因此若要破除迷信，必須從人的觀念著手，告訴人們「信命不修心，陰陽恐虛矯」，若是力行善事，廣積陰德，何福不可求？孫叔敖打死兩頭蛇的故事就是最好的證據。

我希望生命教育的課程裡也能包含一些對命運的正確態度，讓孩子明瞭造命者天，立命者我，每個人都能放膽去打造他自己的命運。

9 快樂只在心頭上

夜闌人靜正是閱讀最好的時候，但是因為兒子尚未回家，心神有點不寧，耳朵一直在聽門邊的聲音。兒子喜歡動手做東西，最近迷上修車，到桃園拜了個師傅，每週末都去學習修車，今晚打電話回來說碰到一部少見的車，不會修，要弄得晚一點。

十二點半，他回來了，推門進來，一屁股坐在我床邊，很得意地告訴我他和幾個同學如何假想自己是設計汽車的工程師，某個功能應該會怎麼設計，最後把車子修好了。

他走後，我拾起看到一半的書，才發現看的正巧就是錢鍾書的〈快樂〉，我沒有想到像我這樣看書看了一輩子的人，也會因為心中有點掛念而讀書不知所云。難怪古人強調讀書一定要心靜，沒有雜念，書才讀得進去。其實心真的是萬源之本，「心安茅屋穩，性定菜根香」，心就是快樂的泉源。「心中有事世間小，心中無事一床寬」，孩子平安回家，回了家會先來父母跟前問安，二十五歲了還願意跟父母聊一下白天發生的事，這就令我很快樂。物質享受換不到我心裡這個快樂。

錢鍾書說小孩子有吃有玩就快樂，因為他們精神和肉體尚未分化，還是混沌一片。這句話是對的，實驗發現，嬰兒感官的分化尚未完成，對外界的認知的確是混沌一片，不管什麼東西撿起來就放進嘴裡，因為大腦中，運動皮質區和感覺皮質區是最早包完髓鞘（神經纖維外面那一層髓磷脂，有絕緣的作用，使訊息傳得比較快）的地方。人長大，大腦分化完成，懂事了，精神和肉體就分離出來了。

錢鍾書說一切快樂都屬於精神的，精神可以使肉體的痛苦變成快樂的來源，人因此不再怕肉體的痛苦，這句話也很對。顏回「一簞食，一瓢飲，居陋巷，人不堪其憂，回也不改其樂」就是這個意思。米爾頓（John Milton）在《失樂園》（*Paradise Lost*）中也說，人的心使自己在天堂中覺得像地獄，或在地獄中覺得像天堂。蘇東坡說得最好，「因病得閒殊不惡，安心是藥更無方」，生病也是偷得浮生半日閒，端看你從什麼角度去看它。

了解一切快樂的享受都是精神的，人生就沒有什麼不快樂的事了，知足常樂，平安是福。春有香花秋有月，夏有涼風冬有雪，若無閒事掛心頭，便是人間好時節。讓我們用心來打造我們自己的快樂吧！

10 運動真能治百病

報載有對夫妻，因妻子重度憂鬱，苦不堪言，決定自殺解脫，先生不忍她黃泉路上獨行，便陪她一起燒炭。這則新聞讓我看了很不忍，因為現在對憂鬱症已有完全不同的看法，它有大腦神經傳導物質上的原因，有藥物可以幫助，病人也可透過運動方式幫助自己減輕病情。

研究發現，當一個人大量運動到他心跳最高數字的百分之七十以上時，大腦中會分泌多巴胺、血清素（serotonin）和正腎上腺素（norepinephrine），這些神經傳導物質都跟情緒有直接的關係，百憂解（Prozac）就是阻擋血清素的回收，使病人大腦中的血清素比較多，心情好起來。臨床實驗也發現，憂鬱症的病人每日持續運動三個月後，百憂解的藥量可以減少。

憂鬱症、巴金森症、阿茲海默症和老人失智症是現在耗費最多社會成本的慢性疾病，每個國家都致力於這些疾病的預防。研究已發現防止大腦老化最好的兩個方式是閱讀和運動，它們都能使腦細胞活化，增進大腦神經連接的密度。運動對第二類型的糖尿病更有幫助，初期的糖尿病病人若能每天運動、控制飲食，可以不必服藥。

瑞典曾經追蹤七十五歲的老人一直到他們九十五歲，結果發現每天只要運動四十五分鐘，他們大腦中白質（神經纖維）的退化程度就有顯著改善。老人家膝蓋軟骨已開始退化，不適合跑步或做劇烈運動，連出門散步都最好拿著枴杖，以防跌倒。最適合老人的運動是游泳，因為水有浮力，關節不會像跑步時那樣因承受太多重量而受傷，游泳又是種全身的運動，直接訓練心肺的功能，因此瑞典每一個社區都有游泳池。游泳也使老人走出公寓跟社區接觸，老人需要跟人對話，關在家中看電視會使大腦退化得很快。

美國甚至由公家出錢請計程車把老人送到社區的活動中心去跳舞、游泳和健身。看起來這好像是浪費納稅人的錢，其實老人若身體健康，節省下來那些看不見的醫療費用才是更可觀。

我們台灣也看到運動對學習的幫助（血清素也直接影響記憶），又看到每年暑假溺死很多的孩子，一棵幼苗來不及長大便夭折，真是令人痛心。因此看到政府終於要蓋游泳池，讓偏鄉和山區的孩子也可以學游泳時，真是非常高興。此舉老人和孩子都受益，堪稱一石二鳥、一舉兩得。

其實，台灣很缺游泳池，很多鄉鎮連一座都沒有。台灣是個海島，島國的孩子怎麼可以不會游泳？不要孩子去河裡冒險，就必須提供他安全的游泳環境，在神經學上，要改變一個行為最有效的方式，就是用要的行為的神經迴路去取代不要的行為。一件事只要是對的，就應該去做，不可因困難而放棄。「天下無難事，只怕有心人」，困難是可以克服的。我們不能因為吃飯會噎到而不吃飯，也不能因為可能有弊端而剝奪孩子學習的機會。

柏拉圖說：「為了讓人類有成功的生活，神提供了兩種管道：教育與運動。」希望以後報上不要再有孩子溺死，父母呼天喊地的鏡頭，也希望健保的費用能控制住，不要每天喊漲。

腦與心

11 改變心態，就改變了生命

台灣的學生很不快樂，曾經有位高中的輔導老師把正向心理學家馬汀・塞利格曼（Martin Seligman）的憂鬱量表給全校學生做，結果發現有百分之七十的學生處在憂鬱症邊緣。

其實憂鬱症比起其他的精神疾病算是較有希望治療的。美國的心理學家／哲學家威廉・詹姆斯（William James）說：「人可以因為心態的轉變而使生命轉變，改變心態就改變了生命。」很多人因為聽了某場演講、看了某本書而豁然開朗，從此人生不一樣，就是這個意思。

心態的轉變並不難，但需要智慧、引導與啟發。英國的格林爵士說：「學校教育的目的不是在學到什麼有用的東西，而是培養人格和情操，教導正確的價值觀和讓學生交到好朋友。」現代知識的進步太快了，昨天的定理今天會被推翻，反而是基本的核心價值：忠誠、正直、公平、正義，是恆久不變的做人道理。

《金銀島》的作者史蒂文生說：「朋友是你給你自己最好的禮物。」人只要有一個知心的朋友就不會去自殺。人生路很長，沒有朋友相伴，這人生是寂寞的。好朋友就像天上的星星，有時看不見，但是你知道他在那裡。很多父母反對孩子參加社團，認為浪費時間，其實社團是交到志趣相投朋友最好的地方，在校園中若有朋友相互支持，較不易被霸凌。

憂鬱症的特徵之一是沮喪，對困境無能為力時，自信心會崩潰。「有夢最美」固然很好，但是要誠實檢視自己的能力，當目標訂得太高時，美夢變成惡夢，會賠上自己性命。

很多父母以「恨鐵不成鋼」做為自己打罵孩子的藉口，那是錯的。他如果是塊鐵，硬要他成鋼，不是逼死孩子嗎？我曾有同學拿他父母照片給我們看，問我們親子像不像，因為他懷疑他不是父母親生的，他說沒有人會打親生兒打得這麼兇。打罵是短期見效，長期來說是反作用，你不尊重他，他怎麼會尊重自己呢？

「我是為你好」大概是年輕人最不愛聽的話了，有時讓孩子去碰壁吃苦是必要的。瑞典的孩子在零下三十度之內都在外面玩，瑞典人說：「只有不合適的衣服，沒有不合適的天氣。」成就感不是禮物，沒有人可以給，孩子必須從克服挫折中贏得它。

球類運動是訓練孩子忍受挫折很好的方法。打球有贏有輸，勝敗是兵家常事，孩子習慣了今天輸、明天又贏之後，對輸贏成敗就不會看得那麼重，反正永遠有明天，有明天就有希望，就有機會翻盤。小學時的體育課很重要，這種「可以失敗、不可以被打敗」的人生觀要從小建立，因為它儲存在神經連接的突觸上，是內隱的學習，會跟隨著孩子一生。

教養孩子要像放風箏，線要放得長，風來時才飛得起來，線太短，風箏只能跟在你身邊。但是手一定要捏得緊，因為一鬆手，飛去的風箏永遠找不回來。所有的成功都不是一蹴登天，美夢要成真，除了有能力，還要有毅力，要能挺得住挫折，百分之七十的學生不快樂是個警訊，不能再有孩子跳樓了。

12 睡覺不是浪費時間

我父親常說「舒服不過躺下，好吃不過餃子」，對勤勞淳樸的中國人來說，勞累了一天，晚上得以躺下睡覺，那真是最舒服的事。我們很少去質疑人為什麼要睡覺，覺得它就像日出日落、春去秋來一樣，是件最自然不過之事。何況人睡著了不會反應，如果不會反應，怎麼做研究呢？

睡眠之謎是到二十世紀初，腦波儀發明後才慢慢解開。人們發現睡著了，身體休息了，大腦其實還在工作，它在修補整理白天發生之事。莎士比亞說「睡眠是受傷心靈的安慰劑」，心情不好時，就去睡吧！睡飽了情緒就好了。我們現在知道在第四階段睡眠時，大腦會分泌跟情緒有關的血清素和正腎上腺素兩種神經傳導物質，及時補充大腦的需求，情緒就提升起來了。

不論中外的智者都教年輕人不要倉促做決定，重大的事情放在枕頭底下 sleep on it，第二天早上醒來如果仍是同樣感覺，才可以放手去做。我們現在知道做夢時會把白天發生的事拿出來整理，剛入睡時，做的是白天發生的事，天快亮時所做的夢是以前發生的事，古人說的「日有所思，夜有所夢」是有科學證據的，常有白天百思不解的難題在夢中迎刃而解。

記憶的研究也發現，短期記憶要變成長期記憶必須經過「固化」（consolidation）的歷程，它是在睡眠時透過神經迴路的活化所完成的，每次做夢，每次把新、舊的訊息重新組合，把新的納入舊有的認知架構中。所以記憶是個重新建構的歷程，人的記憶很不可靠，許多是大腦想當然耳所填補的虛構情節。

睡眠的科學研究對學習有很大關係。第一，它讓我們知道「頭懸梁，錐刺骨」的那種讀書方法是無效的，讀書要讀進大腦，轉化成長期記憶才有效，而轉化的過程需要神經傳導物質尤其是血清素的協助，因此要孩子功課好，需要他睡得飽，讀書才會事半功倍。

此外，《我們為什麼要浪費時間睡覺》（*The Mind at Night*，中譯本貓頭鷹出版）這本書也指出夢的怪異有生理上的原因，做惡夢不必惴惴不安，嚇得去拜拜或找人解釋夢。人在做夢時，眼球會快速的轉動，叫快速眼動睡眠（REM），大腦的正腎上腺素在快速眼動睡眠時分泌量很低，會減少神經元同時一起放電的可能性，使訊息不會雜亂，它同時鎖定某個特定訊息，讓我們不會像精神分裂者講話那樣隨意跳躍，使人不知所云。

大腦電波雜訊多，夢中場景就會一直更換，它的怪異跟做夢時大腦中乙醯膽鹼（acetylcholine）大量增加也有關係，不過最主要是我們大腦不管面對什麼樣的荒謬事情，就算完全沒有任何意義可言，它還是會堅持編造出某種意義來，所以我們的夢就在大腦堅持它非得是有意義的情況下，變成醒來時那種似真非真的感覺了。

大腦的左腦前區，是加州大學認知神經科學講座教授葛詹尼加（Michael Gazzaniga）所謂的「解釋者」，專門把自己的一切行為合理化。在腦造影的圖片中，我們看到在做夢時，掌管大腦情緒的邊緣系統（limbic system）全力運作，比清醒時增加了百分之十五，活化的最高點在前扣帶迴（anterior cingulate gyrus），這個地方對「注意力」而言很重要，它賦予夢境經驗的意義。

一九六二年諾貝爾生醫獎的得主克里克（Francis Click），就認為這個前扣帶迴是自由意志的中樞，我們從這裡產生出「自我」，有可以獨立行動的感覺。而我們大腦的執行長前額葉皮質要到醒來二十分鐘以後才會徹底活躍，難怪人醒來後，會有一陣子迷迷糊糊，你知道人家在講什麼，但是在反應上會慢半拍，因為前扣帶迴在剛醒來時就很活躍，而前額葉皮質還在「暖身」。

睡眠的科學研究解開了許多我們自己每天經驗到的情境之謎，使我們更能利用身體的生理狀態去趨吉避凶。這領域是近年來腦造影技術精進能夠實際看到睡眠時大腦內在情形後才蓬勃興盛起來的，每天都有許多新知湧出，包括被催眠時的大腦的情形。因此，這本從實驗證據來闡述最新大腦睡眠知識的書就很值得大家一讀。

「知識是力量」，了解夢與睡眠，就了解自己的潛意識運作，就更能維護自己的身心健康，樂天知命的過日子了。

13 腦與心

愛是人生最終的目的

我已經很久沒有看書像看《黃金人生的入場券》（*Life's Golden Ticket,* 中譯本平安文化出版）這樣入迷了。原本是想在睡前翻一下，想不到一看就放不下來，一直看到凌晨三點，明知明天爬不起來上課，仍然繼續看到結尾才放手。

這本書令我沉思、反省，一邊看一邊想，我是否有很多地方像男主角一樣？忽略簡單、優雅、美麗的東西，眼睛卻去搜索那些會引起腎上腺素衝高的刺激。對過去總是想不好的事，他只記得父親用皮帶抽他，他爺爺過世的失落感，他被學校開除，母親在校長室求情，失業，失戀……的情形。

但是他人生其實也有快樂的時候，跟母親在後院玩耍，跟祖母騎馬飛馳，念高中時上台領獎，跟女友初戀……只是他把人生焦點放在悲觀的旋律上，一直讓悲觀旋律在他心中縈繞時，就覺得這世界是黑暗的，別人都要傷害他，別人都對他不公平。這種心態使他有很強的防衛心，拒人千里之外，又因沒有自信心，覺得自己很糟，最好不要被人發現自己是一事無成的人，所以沒有任何朋友。

最主要是在這種鑽牛角尖心態下，事情不成功，他會找藉口，千錯萬錯，都是別人的錯。有這種態度，本來會成功的事業也不成功了。不知有多少憂鬱症的人就是在這種狀況下，一步一步的走向無底的黑洞，我們看到當人把焦點放在人生的黑暗期時，它就擊潰了你。中國的「吾日三省吾身」教育使我們很少對自己滿意過，父母老師都是告訴我們，還不夠好，還可以更好。反省自己是應該，但是有時太過強調孩子的缺點，會使孩子失去自信心。

在這世界上，大部分人是漫無目的的活著，被環境拉著走，這些人心中一直想從這世界獲得什麼，但是因為沒有付出，所以什麼也沒有得到。作者說奇蹟的創造都是選擇自己的道路，為了付出與貢獻而活的人。他們問自己：我為別人成就了什麼，我為別人付出了什麼。這句話真是暮鼓晨鐘，一語驚醒夢中人。英文諺語：「Success is when you add the value to yourself, significance is when you add the value to others.」人為自己增加價值叫做成功，但是只有為別人增加價值時，才叫成就。

我們看到太多人為了生活做著自己不喜歡的事，早上起床，對著鏡子，只看到一個無精打采，為生活出賣時間的人，這種人是不會快樂的。太多人每天生活在絕望的底層，因為他們把時間花在自己一點也不關心的事情上。人生最可悲的就是沒有勇氣找出自己想走的路，每天等因奉此，因循苟且的過一生。

有些人為了想把眾人的焦點聚在自己身上，為了被別人注意、被人接納、被人崇拜而想盡方法讓自己出鋒頭；但是有少數人是為了創造別人臉上的笑容，提醒人們世界上還有奇蹟和希望存在，他們活著是為了幫助人們發掘深藏在內心深處的能力。這種人到了最後，聚光燈全部打在他們身上，如溫世仁先生、泰瑞莎修女，因為他們用自己的時間幫助別人度過黑暗，不論自己有多少力量，盡其所能發揮影響力去創造和改變世界，這種人會永垂不朽。幫助別人有時要犧牲一些自己的時間和精力，但是這是人生的目的。

在這本書中，男主角經歷各式各樣的幻境，各種磨練，最後看到他可以成為他想要成為的人，他也可以成就他想完成的事，只要他不再找藉口，不把責任推到別人身上。就像他父親說的：「我用皮帶抽你時，你為什麼不爬起來跑掉？是你懦弱，願意接受不合理的待遇，然後你又把責任推到我身上，怪我誤了你一生。」

我們的心選擇我們所要看的東西，沒有任何地牢比心牢更幽暗，也沒有任何獄卒比自己更嚴厲，男主角自怨自艾的心境一改變後，他就看到小時候母親抱著他說：「你真是個漂亮的嬰兒，我愛你，兒子。」他看到父親牽著他的小手在公園散步，跟他說：「我真的好以你為榮，我愛你，兒子。」他的爺爺把他高舉過頭，說：「你真是個乖孩子，我愛你。」外婆把他抱在馬鞍上，笑著說：「我好高興你在這裡，我愛你。」他終於明瞭，愛是前往無限可能的通行證，愛是人們最終的選擇。

愛是人生最終的目的，這句話深深地震撼了我。我們中國人不善於表達感情，都是放在心裡，有多少次，我想感謝父親讓我讀書，送我出國深造，但都沒有說，現在他走了，我不知道他曉不曉得其實我是很愛他的。我們常習慣了別人為我們做的事，父母的辛勞變成理所當然，我們忘了感恩，忘了珍惜當下。

很多時候，我們是在親朋好友走了以後，才猛然想起來還有話來不及問他或告訴他。這本書教你把握現在，珍惜已有的。人生無常，今天能看到的，明天不知道還能不能再看到，不要躲在自己建造的心牢中，要把握現在去做自己想做的事。

作者說得好，沒有人能限制你，除了你自己。這本書讓你看到，你能改善你生命的品質，因為「造命者天，立命者我」！

14 大腦怎麼讀？

腦與心

說話是本能，閱讀是習慣，一個孩子放在自然的環境中，沒有人教他說話，他會說話；一個孩子放在自然的環境中，沒人教他閱讀，他是文盲。

人會閱讀可以說是一個奇蹟（miracle），因為大腦中並沒有一個閱讀中心來專司閱讀，但是在左腦前區卻有一個語言中心，當這個地方受損，我們會有失語症。從腦造影的圖片中我們看到大腦在閱讀時徵召了很多不同的區域來「共襄盛舉」，這是為什麼「失讀症」（dyslexia）在不同文字中都佔了人口比例的百分之六左右。

會閱讀真是件不容易的事，父母親若是了解了大腦內部運作的繁複，或許以後對他的孩子讀得慢可以有多一點的寬容之心。

閱讀使人類透過文字的媒介將前人的智慧納為己用。中國以前一直積弱不振，其中一個原因是當時百分之九十九的人民都是文盲，使他們的智慧停留在原始的階段，無法更上一層樓的開發自己天賦的能力。我們常聽到大人惋惜某個人事業只能做到某個程度，因為「受限於他讀的書不多……」，就是這個意思。

閱讀使訊息傳遞超越時空的限制，古人窮一生之力寫一本書，我們花兩個禮拜把它讀完，他一生的智慧就被我們內化成自己的經驗了；不需要代代去發明輪子（輪子是人類歷史上最偉大的一個發明），我們就站上了古往今來無數偉人的肩膀上，高瞻遠顧了。我們現在能夠享受這樣進步的文明，全拜文字傳承之賜。

閱讀的重要性在「美國二十一世紀策略聯盟」的全國性大調查「二十一世紀最重要的技能是什麼？」中名列前茅，有百分之七十九的美國人認為閱讀能力是二十一世紀最重要的能力，也是全世界在經濟不景氣時，政府最應該大量投資的一項。我們知道十九世紀的財富在土地，二十世紀的財富在人力，二十一世紀的財富在腦力。李光耀在本世紀初說新加坡小國小民，沒有自然的資源，他們最大的財富在他們人民的腦力上，因此新加坡大力推廣閱讀，使他們快速的躍上亞洲的排行榜。

回想我們台灣又何嘗不是小國小民，我們最大的財富也是我們國民的腦力，所以我們也應該大力推廣閱讀以增強國家的競爭力。但是在推動閱讀時，老師碰到閱讀遲緩者、失讀症者、不喜歡閱讀者常常束手無策，像失讀症者，根本是基因上的關係使他不能閱讀，縱使打到手心出血，他還是不能讀，只是可憐了有這個基因的孩子。

文字是把鑰匙，打開千古人類智慧的秘門，每個會閱讀的人都要心存感激，感激啟蒙我們的人，給了我們一個人生最大的禮物。閱讀使我們可以跟任何心儀的古人神交，從此不寂寞，從此人生不一樣！

對一個影響我們一生禍福這麼大的工具，每個人都應該了解自己的大腦是如何在運作它，使自己得到大腦運作範圍內，閱讀的最大好處。

15

腦與心

運動有助於學習

人在冷氣房坐久了，常會忘記自己是動物，需要動一動的。每天出門坐車、茶來伸手、飯來張口、食不厭精，結果年紀輕輕心臟病、高血壓、糖尿病等都上身了，難怪演化學者把這些毛病叫「富貴病」或「文明病」。

我們的祖先沒聽說過這些病，窮人家得這些病的也少，《紅樓夢》中賈母見到劉姥姥年歲比她大，但是身子硬朗、牙齒也咬得動、走路也走得動，很是羨慕。劉姥姥說：莊稼人不做就沒得吃，我們是想吃白麵吃不到呢！每天吃粗糧，牙齒不好怎麼吃得動？每天拿鋤頭，身子不好怎麼拿得動？所以人其實要動，身體才會健康。

我們的祖先一天至少走十二公里去覓食，吃的是採集來的自然食物，所以他們的排泄循環都沒問題。有一次黃春明來我學校演講，他說科學家要有觀察力和推理能力，他就問學生：為什麼貓狗上完廁所不必擦屁股？學生都呆住不會回答。黃春明說：因為牠們沒有吃精緻的人工添加物，每天四條腿跑路，沒有汽車坐，如果人像動物這樣，也不必用草紙。同學哈哈大笑之餘卻沒有人去想這是非常有道理的，人只有歸真返璞才會終身不辱。

《運動改造大腦》（*Spark,* 中譯本野人出版）這本書講的都是跟我們身心健康息息相關的知識，而且都有科學的證據，非常有說服力。它原文的副標題是：「革命性的新科學——運動和大腦」（The Revolutionary New Science of Exercise and Brain），真的是革命性的新觀念。我們一般對運動都不重視，體育課都是被借去上數學課、英文課，但是從這本書中知道，運動對學習很有幫助，體育課不但不該被借，還應該借別的課來上體育才對。

我們在運動時會產生多巴胺、血清素和正腎上腺素，這三種神經傳導物質都和學習有關。多巴胺是種正向的情緒物質，人要快樂大腦中一定要有多巴胺，我們的快樂中心伏隔核（nucleus accumbens）裡面都是多巴胺的受體，我們看到運動完的人心情都愉快，打完球的孩子精神都亢奮，脾氣都很好。血清素跟我們的情緒和記憶有直接的關係，很多抗憂鬱症的藥都是阻擋大腦中血清素的回收，使大腦中的血清素比較多。正腎上腺素跟注意力有直接的關係，它在面對敵人決定要戰或逃時分泌得最多。

有一個實驗很清楚的說明了運動跟學習的關係：芝加哥附近有一所中學實施零時體育計畫（Zero Hour Physical Education），即還沒正式上課之前先叫學生來學校運動，要運動到他心跳達到心跳最高值或最大攝氧量（氧消耗值）的百分之七十。

一開始時家長都反對，孩子本來就爬不起來上學了，再去跑幾圈操場豈不一進教室就打瞌睡？結果發現正好相反，運動完的孩子多巴胺多了，脾氣好了，在課堂吵架、打架的次數少了，老師不必一直喊「安靜，不要吵」，上課的氣氛就好了；血清素增加，記憶力變好，學習的效果更好了；正腎上腺素使孩子的專注力增強，所以上課專心，記得快、學得好，學生的表現就提升了，自信心與自尊心也出來了。

他們還做了一個實驗，將學生最不喜歡、最頭痛的課，如數學，排在上午第二節課上或下午第八節時上，結果發現上午那一組的學習比較好，好到兩倍以上。因為上午第二節課運動完的神經傳導物質還在大腦裡，但是到下午時就已經消耗殆盡了。這些數據開始讓美國的父母看到運動對孩子學習和行為的幫助，就不再反對零時體育計畫了。

現在美國學校推動每天都要有一堂體育課，對我們國三和高三每天要考試的學生來說，一天更是應該有兩堂體育課，以紓解他們的壓力和增加學習效果。

台灣南部有個收容精神病患者的「龍發堂」，他們曾讓精神病患帶腳鐐去外面墾荒種菜，被人檢舉。他們當時做時並不知道背後的理由，只是從經驗上知道這樣做有效，後來杜克大學（Duke University）的研究者發現，如果能使憂鬱症的病人走出家門去運動，他們大腦所產生的多巴胺、血清素等神經傳導物質效果跟吃「百憂解」一樣好，所以杜克大學開始在推病人的運動。

作者說得對，吃藥和運動是相輔相成的治療方式，運動的好處是操之在己，自己持之以恆，病情就會減輕，給病人一種自我操控的良好感覺，這種感覺帶回他對自己的信心，這個正向作用的效果比吃任何藥都好。

運動甚至對注意力缺失和過動症（ADHD）來說，都是非常好的自我控制良藥，因為目前醫生給 ADHD 患者所開的利他能（Ritalin），其實就是增進大腦中多巴胺，如果運動本身就會分泌多巴胺，為何不用大腦自己本身的多巴胺呢？自己分泌的對大腦沒有傷害，外來的現在已知會傷害伏隔核（對這方面有興趣的讀者可參閱《浮萍男孩》〔*Boys Adrift*，中譯本遠流出版〕），許多第一線的治療師都發現武術、體操等需要大量注意力的運動對 ADHD 的孩子非常有幫助，因為這些運動需要全神貫注，而且武術、體操比枯燥的跑步機有趣得多，孩子比較會持續練下去。任何運動都需要持之以恆，每天做，效果才會出來。

二〇〇三年我到德國開預防老化的神經學會，會中看到瑞典的研究者追蹤七十五到九十五歲老人的大腦活動，發現他們只要每天運動四十五分鐘，大腦白質（神經纖維）的下降率就馬上改善很多。

運動跟大腦有直接的關係，它增加我們大腦中新微血管的產生，製造胰島素生長因子，使糖尿病的風險減少，增進心理健康和大腦認知能力。在所有的醫學理論中，預防都是勝於治療，與其每年花那麼多錢治療慢性疾病，如憂鬱症、老人痴呆症，不如讓每個社區有溫水游泳池、每個學校有體育館。

或許當全民每天都運動時，大家的情緒都好起來，立法院就不會打架了。

第5篇

學與習

別人窮一生之力做的實驗結果，
我們只要花幾個星期把它讀進來，
這個知識就是我們的，
我們就站在他的肩膀上
看得比他更遠了。

1 學與習

從生活中訓練做事的態度

我念研究所時的一位同學現在是國際知名的大教授，他在去北京講學之前，繞到台灣來替我的學生做場演講。

我安排他住在學校的招待所中，早上去接他時，發現他西裝筆挺的蹲在地上用小刀刮一個黑黑的東西。看到我，他抬頭說：「馬上就好，這些口香糖黏得真緊，不刮下不行。」然後有點歉意的說：「老習慣，改不過來，看到了非除去不可。」我大笑說：「你真不愧是我們教授的嫡傳弟子。」

我們的指導教授是個一絲不苟的人，治學嚴謹，對我們生活的要求尤其嚴，所有東西用完一定要物歸原位，沒歸位的若被他抓到，第一次原諒，第二次就要離開實驗室。

他堅持做實驗要有最高的自我要求，所有的細節都要注意，嚴格執行每一個標準流程。他的口頭禪是「不允許第二次錯誤」，因為人生常常沒有第二次機會。他從生活細節中訓練我們做實驗的態度，他說科學要求的是精準，一是一、二是二，沒有「隨便」這兩個字。

他討厭骯髒，因為骯髒代表馬虎、不徹底的態度，曾有學長跟他抱怨：「老師，我們又不是要在地上吃飯。」他正色說：「人在不潔的環境中工作，會因環境的隨便而態度隨便，一不仔細就會出錯。做實驗每一個細節都很重要，一出錯就是一隻動物的生命。」

的確，這位學長做的是把探針插入老鼠的杏仁核中單細胞記錄的實驗，他的馬虎態度的確弄死了好幾隻老鼠。不可諱言的，在乾淨的環境中工作，的確心情愉快，效率好像也比別的實驗室高。這個自我要求的工作態度被訓練出來後，在人生的路上對我幫助很多。

實驗室中曾有一本布克・華盛頓（Booker T. Washington）的傳記，這位美國黑奴最後成為大教育家。他小時候曾替一位白人太太做工，那位太太的要求非常嚴苛，會戴著白色手套摸櫃子的後面看有沒有灰塵。別人都被開除，只有布克是做事做到百分之百，連櫃子後面都擦到了，所以後來這位白人太太鼓勵他念書，造就了他一生。

在某一期的《科學》（*Science*）期刊中，麻省理工學院、哈佛和耶魯三校的教授共同做了一個很有趣的實驗：他們發現環境的確會影響人，連坐的椅子是木製的還是沙發都會影響人的決策。他們請八十六名受試者對一輛定價一六、五〇〇美元的汽車跟車商討價還價。第一回合大家都對半殺價，經理當然拒絕，退回再議。這時，坐硬木椅的只肯多加八九六元，而坐沙發的就願意多加一、二四三元。也就是說我們對「硬」（hard）的潛在定義：持久、穩定、不變，會使我們堅持己見，不肯讓步。

想不到連坐的椅子都會不知不覺影響人的決策，所以教授是對的，做事的態度是可以訓練的，我們可以從生活中訓練孩子一絲不苟的做事態度，從徹底執行的態度中要求他高尚的品格與操守。

如果事事都徹底，自然不會發生國家考試的主考官忘了去監考，或國際航空站員工在航空站中飲酒作樂這種離譜的事了。

學與習

2 惻隱之心可以教

我去朋友家，看到他在替狗刷牙，問他為何如此費事，他嘆息說這隻狗是他撿來的，從小被人棄養營養不良，所以牙齒的琺瑯質沒有長好，若不替牠刷牙，很容易蛀牙。他很感嘆的說：現在許多孩子養寵物，養養不要了便丟掉，美其名曰放生，其實是活活餓死牠們。

台北最近也發生學生讓認養的盆栽枯死之事。市政府因宣傳花博，鼓勵學生認養盆栽，學生對植物本來就沒興趣，加上又不是自己要的，便不去管它，沒澆水，三天就枯萎了。它雖然只是盆植物，也是一個生命，像這樣渴死也是很不應該。

看到現在年輕人對別人的痛苦不當一回事，連生命也視之如草芥，隨便就處置掉，不會良心不安，實在很憂心。對這現象往者已矣，來者猶可追，我們問：惻隱之心是怎麼來的，可以教嗎？

這答案應該是「可以」。過去大家都認為大腦定型了不能改變，但是最近的腦造影實驗發現大腦管情緒的迴路是可以改變的。

這個實驗是請十六名有打坐經驗的喇嘛，和同齡同數但一週前才接受基本打坐訓練的生手，在核磁共振儀中聽一些會引起慈悲惻隱情緒的聲音，如女子的呼救聲。結果發現，喇嘛大腦慈悲心的地方活化得比生手高很多，而且打坐的經驗越多，腦島（insula）和顳葉頂葉交會處活化得越高。腦島是大腦負責身體感覺和情緒的地方，而顳葉頂葉交會區對別人情緒狀態的了解很重要。

實驗者在找到大腦中負責惻隱之心的地方後，進一步看這迴路是否能透過訓練來強化。

在實驗前，先讓受試者接受兩週每天一次、每次三十分鐘的慈悲心訓練，要他們想像自己和他人正在受苦，教他們用生物回饋（biofeedback）的方式控制心跳、血壓等生理反應。兩週後，請他們躺在核磁共振儀中，看戰爭血肉模糊和飢餓孩子的圖片。結果發現慈悲心可以訓練，情緒的迴路可以加強。

最近更有一份「社會情緒學習」（Social Emotional Learning, SEL）的報告，研究者將美國五至十八歲，上過ＳＥＬ課的二十八萬名學生的資料輸入電腦，結果發現學生的態度和行為在上過課後都有改善，連學業成績都有進步（上過ＳＥＬ的學生，ＳＡＴ成績上升了百分之十一），而且經過教導後，他們的人生觀比較正向，情緒失控的情況和攻擊性行為減少。

「玉不琢不成器，人不學不知義」，孩子是要教的，但是生命教育不能在教室中教，要在實際生活中體驗。因為有體驗才有感動，有感動才有內化，內化了才能成為他品德的一部分。現在的考試，基本上跟做人做事沒有關係，而且關在教室久了，學生感情反而遲鈍、沒有惻隱之心了。

杜威說「生活即教育」，我們應讓孩子「正常」的過日子，從生活中，學習負責任和尊重生命的正確態度。

在二十一世紀，任何教育普及的國家都不應該有因不尊重生命而使生命消失的恥辱發生。

學與習

3 自燃型人才何在？

某期的《天下雜誌》上有一篇發人深省的報導：金融海嘯後，台灣失業人口出現結構性轉變，一方面大量高學歷者失業，另方面企業找不到人才，出現了人才供需失調的現象。企業需要的是「自燃人」：不需借助外力，自己就可燃燒的人；而大部分員工是「不可燃人」，靠近火也不會燃燒，比下有餘者也頂多是靠近火才會燃燒的「可燃人」。

我曾經有個自燃人的助理，她一切不要我操心：外國學者來校演講，講完得立刻去趕高鐵，她請計程車在演講廳的後門等，一講完立刻上車，不必跟別人在前門擠，順利完成任務。

我也有個助理，請她晚一點下班趕個公文，她回答：「今天心情不好，不想加班。」我很驚訝的跟她說：「你是來上班的，不是來做大小姐的。」結果她連辭職都沒辭，在我門上貼了個條子「老師，我回家去做大小姐了」就不來了。

為什麼會這樣呢？一個原因是溺愛，孩子從來不需去思考下一步要做什麼，家長早已準備好在等著了。

另一個原因是考試採用標準答案，會思考反而有害。例如小三自然科考卷中有一題是：「『天氣很冷』這句話是(1)觀察；(2)判斷；(3)推想」，其實三者都可以，但是標準答案為(1)。像這種例子不勝枚舉。學生很聰明，兩次以後就懂得自己怎麼想不重要，課本怎麼說、老師怎麼想才要緊。而且社會瀰漫著多做多錯的心態，為了明哲保身，孩子就變成叫一下動一下的不可燃人了。

長久標準答案下來，甚至連老師也不會思考了。在一個示範教學中，老師把課文「星期天，爸爸帶我們去外婆家」變成「哪一天，爸爸帶我們去外婆家？」以為改成問句就是啟發式，而不是問「為什麼星期天爸爸才能帶我們去外婆家？」讓孩子去想理由。

彰化發生過有八所國中委託教科書的書商出段考題目，書商的題目怎麼來的呢？通常是五十元一題包給研究生出，因此才會有「下列哪一種人最美麗？(1)兒童；(2)少女；(3)少婦；(4)老婦」這種匪夷所思的題目（標準答案為(3)，因為「少婦新婚最美麗」）。看到教育現場這種情形，就不難了解為什麼宜蘭發生大水災時，許多學校不敢自行放學，一定要等教育處下命令才敢放了。

揣摩上意、一切看上面臉色行事還有一個例子：蘇澳海事學校的學生參加國際衝浪比賽，從四十名國際選手的競爭中拿到金牌，學校卻不給他記功嘉獎，理由是衝浪不是校方發展的運動項目。

校長說衝浪不在教育部保送體育大學認可的項目之內，而學校發展的運動項目只以教育部規定的為主，所以不予嘉獎。台灣是島，四面環海，只要跟水有關的活動都應該是國家體育發展的項目。一樣是拿到金牌為校爭光，為什麼只有教育部規定的項目才算體育？

若到現在還有「做工不由東，累死也無功」的心態，我們怎麼可能培育得出自燃型的人才呢？

4 生命應該是一場公平的競爭

有一本書叫《讓天賦自由》（*The Element*）：構成每一個人的元素都相同，但組成的方式不同，因此每個人都不同，唯有把人放對了地方，讓他能力發展出來，他的人生才能達到最高境界。在台東的白守蓮部落，我看到了這句話的意義。

這個部落是一個阿美族的漁村部落，房屋殘破，人口外流，孩子都在街上遊蕩、無所事事。先是有位老師把漂浮漁網的廢漁筒鋸了一半，繃上山羌皮、牛皮、羊皮教孩子們做了一面鼓（每種皮打出來的聲音不同），孩子們就開始打鼓。亞都的嚴長壽總裁入駐台東後，驚訝於他們的天賦，替他們從台北找了老師過來教，從此孩子的人生不一樣了。

當我看到他們時，從小三到國三的十幾個孩子抱著自己做的鼓在演奏，每個人臉上都在笑、眼睛都發光，因為有人看，孩子們賣力的演出，渴望著我們的掌聲與肯定。看著抱著跟他一樣高的鼓，拍得渾然忘我的孩子，我不禁想，這不就是讓天賦自由嗎？

但是我也在想，為什麼他們的音樂天賦沒有被發掘出來？在地的台東大學有三千四百名學生，但是原住民的學生連百分之三都不到（約一百人）。文明社會的基本倫理是讓生命是一場公平的競爭，但是看到這裡情形，相信沒有人能昧著良心說這是一場公平的競爭。

孩子們的父兄當年就是在學校裡沒有習得一技之長，只好離鄉背井去外地討生活，現在，他們又在重蹈父兄的覆轍。政府必須正視目前技職教育的缺失，越是窮鄉僻壤，教育越是重要，那是他們脫離貧窮唯一的機會，一定要讓學生在學校裡學到謀生之技。

此外，原住民的韻律與節奏感幾乎是天生的，但是這個天賦能力學校並未給予任何的培養，社會也沒有給他們表演的空間，白守蓮部落的孩子鼓打得這麼好，卻只能擠在一個小房間中表演，他們人生的舞台在哪裡？他們未來的希望在哪裡？

回程時，在公路上看到一棟船型屋便停下來用餐，掌廚的是位阿美族青年，端出來的菜餚令人驚豔，魚和貝是早上他自己下海撈的，搭配著鮮嫩的芒草心（我以前不知它可以吃）。燒完菜後，因為除了我們沒有其他的客人，他便拿著吉他坐在門外開始唱歌，他的歌喉很好，唱著自己編的曲子，非常悅耳。以他的手藝，不應該只有一桌客人，但是，生為台東的原住民，奈何？

文化不能離開孕育它的土地而生存，原住民的純樸、多才多藝、樂天知命的文化是我們觀光的軟實力。台東的山水是如此的壯麗，就如早年瑞士白冷教會的傳教士寫的家書一樣：「眼前這片美景就只能用『嘆為觀止』形容，青翠的海岸山脈與瑞士的高山差不多，但是美麗的太平洋卻是家鄉所沒有的。」台東不必是好山好水好無聊，它可以是好山好水好精彩，只要我們肯用心去做。

更重要的是，生命應該是一場公平的競爭，我們有責任確保它是。

5 學與習

好奇好問話科學

許多人恐懼科學，覺得它很深奧，其實科學就是生活的態度，「用別人沒有想到的方法，看到別人沒有看到的東西，想到別人沒有想到的地方，如此而已」，我們一出生就在做。

發展心理學家說嬰兒是「天生的科學家」，因為嬰兒眼睛一張開就不停的在探索環境，他們觀察，尋找可能的解釋，檢驗這個解釋的成立，再做進一步的觀察。嬰兒常重複做同一動作，如把湯匙丟到地上，當發出「噹」的聲音時，他就高興的笑，因為他知道他的假設對了：硬的東西掉到地上會發出聲音，軟的玩具熊丟下去就不會。世界就是他們的實驗室，我們的祖先若沒有這種能力是活不到今天的。

那麼為什麼有的人長大後，會失去這個本能呢？兩位美國研究者問了這個問題，他們花了六年的時光，找出全世界三千名科學家的特點，結果發現第一個特點是他們會把兩個看起來不相干的概念連在一起；第二是他們會打破沙鍋問到底，一直問「假如……會怎麼樣？」「為什麼這樣做而不那樣做？」直到自己完全明白為止，他們會親身探索和體驗事情的上限和下限。

研究者下結論說：「強烈的好奇心，追根究柢的好問（inquisitiveness）」區分了科學家和非科學家。

我們看到四、五歲幼稚園的孩子每天問：「他為什麼要哭呢？」「貓為什麼要吃老鼠呢？」「花為什麼會開呢？」但是進小學後，他們就很少問了，因為他們很快就了解老師在意的是標準答案，多問只會自討苦吃；到了高中，更是幾乎沒有學生開口了，每天考試都考不完了，哪裡還有時間去想為什麼，背下來應付完就是了。畢業出社會進入公司後，小職員只能唯命是從，多問會被炒魷魚，何況早已習慣不去問為什麼了。

這是很可悲的現象，一個活潑有創意的孩子經過我們教育系統的「千錘百鍊」後，變成叫一下動一下的「不可燃人」（企業把人才分成三種，最上等為「自燃人」，不需要借助外力自己就可燃燒的人；中間的為「可燃人」，接近火就會燃燒；最下層為「不可燃人」，靠近火也不會燃燒）。因此，要回復孩子天生科學家的本性要先除去標準答案這個緊箍咒，然後培養孩子敏銳的觀察力，再推廣閱讀使他有背景知識，能想到別人沒有想到的地方，最後他就能看到別人沒有看到的東西了。

所以科學思維的觀察力、形成假設的能力和驗證下結論的能力是循序而進的，缺一不可。我們的祖先有很好的觀察力，知道「入鮑魚之肆，久而不聞其臭」，但是當時沒有足夠的大腦和演化知識，不知道大腦的資源是有限的，大腦存在主要的目的是使有機體生存下去，當一個新的刺激進來時，大腦會馬上注意它，一旦發現它不會威脅到我們的生命，大腦便把有限的資源投入可能會害我們、有危險性的新刺激，對熟悉的就不再處理，所以我們就不再覺得它臭了。

因此，一個好的科學家必須兼備好奇和好問兩個條件，我們要讓孩子常常接觸大自然，大自然最是變化無窮，孩子很快會發現天地萬物時時都在改變，仔細比較今天和昨天看到的，觀察力就出來了。

形成假設的能力比較困難，因為它需要邏輯推理和背景知識。最早發現月球表面不是平的是伽利略（Galileo Galilei），他用自製的望遠鏡看到月球上的黑影是一點一點的褪去，因此假設月球表面不是平的，是像地球一樣有山有谷的，陰影的面積會因太陽高度而縮減。一九六九年七月二十日，美國太空人登陸月球，證實了他的假設。

所以伽利略是先有觀察，看到月球表面陰影一點一點的褪去，再從生活的經驗中知道，太陽升起時，物體的影子會慢慢褪去，直到日正當中，影子完全褪去，因此他做出月球表面不是平的假設，三百年後，太空人證實了他的假設。

影子的知識可以從生活上實際觀察到，也可從書中得到，因此閱讀很重要，閱讀使科學家不必親自做每一個實驗而得到那個知識。別人窮一生之力做的實驗結果，我們只要花幾個星期把它讀進來，這個知識就是我們的，我們就站在他的肩膀上看得比他更遠了，科學要進步，知識沒有傳承是不可能的。當然，歸納的能力是畫龍點睛，結論下得不對則前功盡棄。

科學教育無他，去除孩子頭上標準答案的緊箍咒，恢復他好奇和好問的本能，歸真返璞，科學家就出現了。

6

學與習

站在歷史的肩膀上

《科學美國人》（*Scientific American*）是世界上介紹科普新知的第一流雜誌之一，它的宗旨是要讓所有不懂科學的人都能看得懂科學，所以文章都是由這個領域最頂尖的人執筆，再由非科學家作編輯，務必改到人人都懂才刊登。很多科學家都是因為小時候看了《科學美國人》，以後走上科學的路。它在美國的普遍性就和《時代》（*Times*）雜誌和《新聞週刊》（*News Week*）一樣，是很多家庭都有訂閱的讀物——大人看新聞雜誌，孩子看《科學美國人》。我們台灣也獲得授權出版中文版，叫《科學人》。

《科學美國人》在出刊一百五十年之後，回首前塵，把這些年中介紹重要領域的文章彙集在一起，給下一代的年輕人看，使他們飲水思源，莫忘前人開拓疆土的辛苦。我現在重讀這些文章，發現依然受用無窮，因為它是現代當紅領域的由來，歷史就是從A到B時間和空間的歷程，當年的大師怎麼看它，導致這個領域目前的走向。從

《科學的桂冠》（*Triumph of Discovery*，中譯本智庫出版）這本書，讀者可以看到科技整合是個不可避免的趨勢，當時的很多領域現在已經整合成新的領域了。

在急功近利的現代社會，歷史的重要性常被人所忽略，事實上，太陽底下沒有新鮮事，每件事都有脈絡可循，不會平地一聲雷、突然蹦出，以古鑑今是明訓，不知過去歷史就無法了解這件事底下的成因，也就無法預測未來。輪子是人類文明最重要的發明之一，做為科學家最怕的就是「再度發明輪子」（reinvent the wheel）。

我在念研究所時，任教於西北大學（Northwest University）的心理學大師安得伍（B. J. Underwood）教授來加州大學演講，告誡我們回顧文獻要徹底，不要重蹈他的覆轍。原來他年輕、還是個研究生時，做了一個精巧的實驗，得意非常，到心理學年會去發表，當他口沫橫飛講完實驗，預期底下聽眾起立鼓掌時，一位白髮蒼蒼的老先生站起來說：「做得很好，年輕人，不過下次設計實驗時先把文獻看一下，你的實驗我在一九二四年就做過了。」

安得伍說，當時他在台上窘極了，恨不得有個地洞可以鑽下去。所以他來告訴我們要念歷史，不要浪費畢生的精力去發明一個已經存在的東西。這本書從領域的源頭講起，讀了就不必擔心自己浪費時間去發明已經存在的東西了。

整本書中，我最喜歡的是最後的「一百五十年科學新發現大事記」。埋首實驗室做研究的人常有見樹不見林之患，同時，自己生活在當下，也就不會體會到當時一點點小發明如何改變了世界。這個大事記以十年為一單位，列出這十年中科學的新發現，使我們很快就看出科學發現之間的脈絡。沒有前人種樹，後人就無法乘涼。在這本書中，我真的看到牛頓說「站在巨人肩膀上」的意義。

人類幸而有文字，能將前人畢生心血化成一本書傳諸後世。文字使人類的智慧可以跨越時空的限制傳至永遠，難怪倉頡發明文字時，鬼神要號哭了。後人透過閱讀，在很短的時間內，把前人一生的經驗內化成自己的，這時他就站在前人的肩膀上，看得比原先這個人更高、更遠了。或許因為這個原因，學術界對於不引用別人的名字，把別人的東西據為己有認為不可饒恕。別人一生的心血，豈可一字不提便帶過？

很多人可能認為這本書是講過去的事不值得看。我們在課堂上講一個概念時，都會從最原始概念講起，學生常會不耐煩，說「老師告訴我們現在哪個理論是對的就好」，或是「老師，告訴我們怎麼用這個儀器就好」，他們的行為反映出目前學術界只要果、不要因，只算論文篇數，不管論文品質的心態。只有科技、沒有科學，研究層次拉不高，知其然而不知其所以然時，儀器壞了不會修，也不知如何因應自己的需求去改進它，永遠要仰賴別人提供儀器或程式。一棵沒有根的大樹，表面上再怎麼枝葉繁茂，還是經不起颱風的考驗的。一九六五年諾貝爾物理獎的得主理察・費曼教授有一句話講得非常好：「Science is like sex, sometimes something useful comes out, but that is not the reason we are doing it.」做科學家第一要有熱忱，科學家的眼睛看到的應該是真理而不是金錢。科學應該是務實，有多少證據講多少話。科學家應該是因為興趣、產生熱情，追求真知，而不是因為發表一篇論文在《科學》或《自然》（*Nature*）期刊上，學校會給三十萬的獎金而去做研究。當台灣很多學校訂出這種獎勵辦法時，我覺得它對科學家是一種侮辱，許多人終身埋首書堆並不是為了名也不是為了利。一九八八年諾貝爾物理獎的得主李德曼（Leon M. Lederman）說得好：「做研究是工作時間長、薪水少的事（low pay and long hours）。」發明電解定律的法拉第（Michael Faraday）說：「一個人不能同時伺奉兩個主人，不能又侍奉金錢又侍奉研究。錢如果沒有用，是沒有意義的，我的財產不在地上，在天上。」

政府應該盡量提供學者一個好的研究環境，讓他能安心做研究，不要每幾個月就要求「成果報告」，使研究計畫主持人疲於奔命，想卓越也卓越不起來。大部分學習或教育的成果不是每三個月或半年可以看得到的。放眼世界，學術越興盛的國家，政府的干預越少。政府應該像農夫，提供種子一塊肥沃的土地，種下去後，不要時時把它挖起來看長大了多少，只要勤澆水、勤施肥，種子自然會長大來報答主人。只有在自由安定的環境，學術的種子才能開花結果，我期待那一天的到來！

7

學與習

讓科學從小做起

中國自從滿清末年打過幾次割地賠款、喪權辱國的敗仗後，開始對洋人的船堅炮利崇拜不已，當時的知識分子檢討中國失敗原因，都認為歸根究柢是洋人有科學，所以有槍砲可以隔空殺人，他們的文明發達，所以可以製造侵略的武器，要不被外國人欺負就必須發展科學。中國的父母一夕之間改變了他們對兒女的期望，從科舉的狀元立刻變成科學家，最好還是諾貝爾獎的科學家。

「科學救國」的口號從清末喊到民國，從大陸喊到台灣，喊了整整一個世紀，我們的科學還是不發達，吃香灰、喝符水的消息還是時有所聞。火車出了軌，交通部不是檢討內部缺失而是去變動部長辦公室的風水。我們才發現一個觀念的改變竟是這麼的困難。

在甲骨文和金文中，「世」這個字是三個十疊在一起，一世是三十年，也就是說一個觀念的改變至少要一個世代的工夫，要花上三十年。發展科學的第一要務是改變觀念，若是父母老師的觀念沒有改，還是要孩子每天乖乖的坐在桌子上念書、背書、抄生字，不允許孩子去外面遊戲、觀察、發現的話，怎麼會有科學精神出來？觀察是科學的根本，一定先觀察到現象才會去解釋這個現象，如果我們的孩子整天坐在教室裡，四體不勤、五穀不分，是不可能有科學力的。

科學的基本要求是觀察力，形成假設的能力，及動手做實驗、驗證這個假設的能力。我們知道發現、發明和創造的層次不同，發現是事物已經存在，好比哥倫布發現新大陸，他若沒有發現，後人也遲早會發現，事實上，現在對誰是第一個發現美洲的人頗有爭議。發明，也是環境氣氛都已準備好，但是有洞見、看得比別人遠的人拔得頭籌，例如愛迪生發明電燈泡，有人說，即使愛迪生不發明，別人也會發明出來，因為所有的條件都已存在了。發明要設專利，就是保護第一個想到的人。

層次最高的是創造力，好比沒有莫札特就沒有莫札特的音樂，沒有貝多芬就沒有貝多芬的音樂。

科學可以說是有條理可循、按部就班的創造力，它是在觀察到一條線索後，用邏輯的方式形成命題和假設，用實驗的方法去驗證這個假設。在科學界有一句話「只要問對問題，答案就出來了」；好的科學家，觀察力都一定好。例如提出「演化論」的達爾文，他在一個海島上看到有屬於大陸的植物，植物沒有腳，不會移動，所以應該是鳥兒帶過來的。但是鳥兒沒有手，怎麼攜帶呢？他推測應該是鳥爪上的一點點泥土，裡面包含有植物的種子。

為了驗證「一點泥土裡就可能有種子」這個假設，他到附近池塘邊挖了一杯泥土回家，看看一小杯土中能長出多少植物來。每長出一棵植物就拔掉，不然先長出來的會抑制後面植物的生長，結果他發現一小杯土中竟然可以長出三百多種植物。於是他確定了鳥爪上的一點泥土，的確可以攜帶許多不同的種子過來。

這就是科學的精神，它從實做中去驗證對錯，它不是空想。

西元十九世紀末時，印尼大地震使海域出現了一座新的火山島。法國皇家科學院的研究員便坐船去當地觀察第一個生物如何出現。他們等待了很久終於發現第一個生物是蜘蛛，是結網在葉片背後被風從很遠的大陸吹過來的。當然，那時芝加哥大學的研究人員還未發現氮、氧和水通電爆炸可以產生胺基酸，但是這代表人們對第一個生命的出現已充滿好奇心，大家殊途同歸的追求答案，就造就了現代科學的進步。

這些例子都說明了做為一個科學家先要有好奇心，然後有觀察力，還要有毅力才會成功。所以要培養孩子成科學家，父母必須抑制自己的不耐煩，當孩子問為什麼時，能夠細心的從他能了解的層面回答他，孩子問的問題無奇不有，這常讓父母很頭大，因為雖然身為父母卻常不知道正確答案是什麼。過去的父母會用「等你長大就知道了」去搪塞，或是罵孩子「正規功課不做，問這麼多幹什麼」，這些都會扼殺孩子的好奇心。

孩子若是不能滿足他的好奇心時，常會從旁門左道去獲得不正確的知識，那就更糟糕了。所以想要推動「科學生根」的有心人便想替父母解圍，針對孩子常常問的問題編一些入門的科學百科，讓父母有正確知識可以告訴孩子同時繼續維持在孩子心目中父母萬能、無所不知的形象。當然父母也必須多讀書，尤其多讀演化方面的書，因為孩子問的問題都跟我們生活周遭事物有關，想要正確回答這些問題父母必須從演化的根源去找答案。

比如孩子喜歡問：海水為什麼是鹹的，眼淚為什麼是鹹的——答案是因為我們的祖先是從水裡爬上陸地的，我們曾經住在海裡很久，所以身體中有大部分是水份，人缺水會脫水而死，還可以順便告訴孩子為什麼要喝水。還有飛機為什麼會飛（每次在飛機場都看到孩子問這個問題，也每次看到大人張口結舌答不出來）；鯨為什麼不是魚？牠不是在海中游水嗎？牠如果是哺乳類，為什麼要住在海裡？這時父母就可以說鯨體積那麼大，若不是水有浮力，牠在陸地上就幾乎動不了了，我們看到擱淺的鯨都得動用起重機才能搬動牠。鯨曾經上過陸地，後來又回到海裡，所以身上有進化的大腿骨，牠的鰭是退化的手，而且牠不是像魚一樣用鰓呼吸，牠是和我們一樣用肺呼吸

（這是教孩子演化概念非常有力的一個例子）。

所有的知識必須在孩子想學時教給他，才可以被吸收，因為動機是學習最有力的驅力，而孩子在幼小時，好奇心最多，動機最強，在孩子小時候給他正確的知識是很重要的事。

「科學」必須從小做起，根扎實了，自然會開花結果。我們期待我們的下一代會有耀眼的科學表現。

8

學與習

執著於展現自己天賦的能力

幾年前去美國開神經學會時，看到「腦與學習」工作坊的會場貼有一句標語：「假如孩子沒有學好，那是老師沒有教對（If the learner has not learned, the teacher has not taught.）」，大大的字貼在牆上，觸目心驚，令我們做老師的立刻檢討自己的教學方式有沒有誤人子弟。

其實仔細想想它是對的，天下真的沒有不可教的孩子，每個人都有天賦，給他的能力與追求這個能力的熱情，全看我們怎麼啟發他。只是他的熱情常被我們澆熄、能力被我們扼殺，難怪畢卡索會說每個人天生都有創造力，問題在於如何把這個創造力和赤子之心維持到成年罷了。

幾年前，有個八歲的小女孩寫了本小說，在亞馬遜網路書店大暢銷（書名是《飛舞的手指》〔*Flying Fingers*, 中譯本智庫出版〕），很多記者採訪時，問她長大以後要做什麼，她非常驚訝的說：「為什麼說『長大以後』要做什麼？我現在已經在做我要做的事了。」的確，為什麼要等長大以後才去做自己要做的事呢？人每天都在過日子，每天都應該把握當下做自己要做的事。達文西有一句話非常好：「充實的一天帶來好眠，充實的一生帶來安息。」

人生最美滿的就是找到他天賦的能力，然後有熱情與毅力去發揮它、成就它。《讓天賦自由》這本書舉了很多名人的例子，讓我們看到他們之所以會在歷史上留名，都是因為他們能執著於自己天賦的能力，鍥而不捨的展現它。

我對現在教育制度一直注重智育感到不解，歷史一再告訴我們，一個人會成功不在於他知識的多寡，而在於他的領袖魅力、毅力與紀律。從書中例子，我們清楚看到一分天才、九分努力，披頭四若無在德國小酒店那種無日無夜即席演出的經驗，他們也不可能回國後一炮而紅。

年輕人要成功第一不能叫苦，要把生活中的挫折看成做人的本分，因為人是動物，動物在大自然中討生活本來就是充滿挫折。所以我父親常說人在社會中求生存碰到挫折是本分，是本分就不可以抱怨；而事事順利則是福分，是福分就要感恩。人不自怨自艾就能看到解決的方式，能感恩，日子就會過得快樂。

聖嚴法師也說「山不轉路轉，路不轉人轉，人不轉心轉」，心念一轉，事情就辦通了。他的話跟書中所引用美國哲學家兼心理學家威廉・詹姆斯的「人類可以因為心態的轉變而使人生轉變，只要改變心態就能改變生命」的意思不謀而合。人常陷於黑暗之中，好像在漆黑的胡同中，怎麼繞也繞不出來。但是心念一轉，你會突然發現你已經出了胡同，只是外面天太黑，伸手不見手指，使你自己不知道而已，「今日劈破旁門，才見月明如洗」。這本書一直強調的就是我們的心怎麼看事情，

人苦於不自知，常需別人當頭棒喝，最好的點醒自己方式就是閱讀。這本書是年輕人應該帶在身邊，隨時提醒自己「有為者亦若是」的好書。人生最美滿的事是做你喜歡做的事，有人付錢請你做，還要求著你做。要達到這個地步，唯有找到你的天賦能力，盡力去發展它。

9 寓教於樂，看圖說道理

《好奇猴喬治》（*Curious George*, 中譯本青林出版）是美國非常暢銷的兒童書，我孩子小時候我就買給他看了。買時，倒沒有想到什麼教育意義，純粹是因為猴子畫得太可愛了，就把它買回家。唸給孩子聽時才發現，每一頁幾乎都可以講出一個故事來，例如喬治看到河裡有鴨子在游泳，就想做艘小船也去水裡玩，他便把送報童托他送的報紙摺成紙船，放到河裡去。讀到這裡時，兒子馬上吵他也要艘紙船。

摺紙船容易，找條河流去放船困難，最後在家中的浴缸權充河流了事。但是在讀的過程中，孩子一直看到喬治答應的事沒有做到，不但替自己也替別人惹了麻煩。我問他：「報紙沒有送到訂報人的手上會怎麼樣？」他那時五歲答不出來，我提醒他：「爸爸早上起來找不到，會怎麼樣？」他說：「打電話到報社去。」（美國的報童常用王建民的方式派報，個個都是好投手，常讓我們滿院子找報紙）我再問：「報社的人會怎麼樣？」他說：「再送一份來我們家。」我問他：「那麼對原來送報紙的人會不會生氣？」他說：「會。」「生氣的話會怎麼樣？」他說：「處罰他。」我說：「對，小猴子不負責任會害別人被處罰。」我再問他：「他不認得喬治，為什麼要把你的工作交給不認得的人呢？他有沒有不對？」孩子說：「有。」就這麼一頁，可以討論個十分鐘。

全本書中幾乎每一頁都可以大大的討論，這是這套書最好的地方，寓教於樂。又例如喬治刷窗戶時去看別人在做什麼，我問孩子：「這算不算 Peeping Tom（偷窺）？」他想了很久，才說：「算。」因為他自己也很喜歡在上學的路上東看西看，甚至趴在別人家地下室的窗口往內看，他現在知道這是不對的了。

其實，好奇心是所有孩子（包括動物）都有的，西諺不是說「curiosity kills the cat」嗎？即使會送命，貓還是忍不住好奇。但是如何拿捏這個尺度、它的範圍，就是我們大人要教的。因為好奇跟紀律並不違背，好奇是天性，天性可以規範，規範的方式就是教養，教養的外顯就是紀律。我們鼓勵孩子有好奇心，但是他一定要先知道什麼可以做、什麼不可以做，不然會闖大禍。當喬治不聽話時，馬戲團的團長就不要牠了，因為再聰明的孩子，沒有紀律就不能教、也不能用。

這本書能夠流行三十年，有它的道理在，現在拿起來看，還是愛不釋手。這本書可以教孩子很多正確的行為，誰說講道理是一定要扳著面孔的呢？

10 學與習
喜歡你不得不做的事

我覺自己比別人幸福的地方是常有機會比別人更早看到未上市的好書。出版社有時會寄書稿來請我推薦或審訂，使我有機會先睹為快。我因平時很忙，可以看稿的時間通常是夜深人靜之後，如果一看就睡著，那麼這本書我就不推薦；如果是越看越有趣，連覺都忘了睡，那麼這本書就值得推薦。

蔡穎卿的第一本書《媽媽是最初的老師》，我就是一口氣看到完，爬起來開兩個鬧鐘，因為怕一個鬧不醒，誤了明天上班。那本書出來後果然熱賣，讓我很高興，頗有「英雄所見略同」的感覺。同時，好東西跟朋友分享時，也是很愉快的感覺。

看蔡穎卿的書是一大享受，我常捨不得一次讀完，好像精緻的食物不可以一次吃完，要留著慢慢的吃，細細的享受。她的人也如其文，溫文儒雅，非常有氣質。我常想，如果天下媽媽都能像她一樣，我們做老師的就不會被學生氣到發出「家有隔宿糧，不做猢猻王」的感嘆了。

她在《寫給孩子的工作日記》這本書中，教父母如何一點一滴導正孩子的觀念，全書沒有驚濤駭浪、危言聳聽的句子，但是它就像潺潺的溪水，靜靜從你身邊流過，滋潤你的心田，讓你茁長。

例如她在〈自序〉中說：「說別人的故事，教自己的孩子。」這不就是我母親教育我們的方法嗎？小孩子不愛聽大道理，我父親常用文天祥、左寶貴忠義的事蹟教導我們，我們低頭聽訓，但是人在心不在。反而是幫母親洗菜時，她講的別人家孩子的故事，我們最聽得進去。母親從來沒有修過什麼教育學分，但是她知道故事感化的力量絕對比訓話的效果好。所以這本書中的小故事都是教育孩子的好材料。

又如「在工作中，要當別人的好朋友，不要帶著抱怨與不滿上工，因為這會影響工作的效果，也不要變成別人傾吐抱怨的對象」。這話非常對，英文有一句話「不要咬餵你的那一隻手（Don't bite a hand that feeds you.）」，在職場倫理上是不可以一邊拿老闆的薪水，一邊罵老闆的。尤其人真的會讓批評變成不自覺的言語習慣，我父親就不許我們抱怨，他會問：「你有沒有先檢討你自己？」他常用福建話說「漏氣不會死，沒氣才會死。」（在本書中看到李光耀總理也講這句話時，覺得好親切，因為父親生在新加坡，這句話是新加坡華人常說的話。）

被人批評時不可以先抱怨，要先檢討自己，人的資源有限，如果時間和精力花去抱怨了，就不會找到改進的方法。同時，附和別人會使那個人更覺得他的抱怨是有理，就會越說越大聲，最後變成理直氣壯，積非成是。所以父親說：「在別人抱怨時不可以附和，因為那是火上加油。我們家的孩子不許做這種事。等他講完後，指出另一條思考的方式，用理性去滅火。」

此外，書中「香水」的故事也很得我心。現在不知有多少人需要這個故事來提醒自己不要把別人替你做的事視為理所當然（take for granted）。人的大腦對熟悉的訊息不再處理，以節省資源，所以會有「入鮑魚之肆，久而不聞其臭」的現象。的確，「最先吸引你的香水在你跟她在一起久後就消失，如果你離開一會再回來，那股香味就和原先的一樣強烈」。這是為什麼婚姻會有「七年之癢」，因為香水聞久了不香了，反而是別人身上不曾聞過的變得有吸引力了。人在一起久了就忘記對方的好處，常常要等到失去了才會想起。有多少人在擁有時，能夠有蔡穎卿的智慧，懂得珍惜當下呢？

另外穎卿用行星的自轉和公轉來形容職場的生態，我也覺得非常貼切。理想教育培養出來的學生應該是一顆行星，能自轉也能公轉，這個必要條件是熱情，老師必須有教書的熱情，學生必須有學習的熱情，教學才會成功。這個熱情也是敬業背後的推力，我小時候必須幫忙做家事，我母親最不喜歡叫一下、動一下的人（即穎卿所謂「

拖著走」的人），所以她在叫我們做事之前，先讓我們看到做這件事的意義，例如忘記餵雞，雞會餓死或是養得很瘦，下的蛋很少，賣不出去，學費就會無著落。她讓我們看到工作的意義時，我們就會自動自發去做了。

天下道理是相通的，任何事要成功都必須先引發動機，先讓孩子看到學習的意義，意義會產生動機，動機就使他會自轉和公轉。所以她說：「人生的意義不在做你喜歡的事，而是喜歡你不得不做的事。」我出國時父親告訴我：「做你喜歡的事，喜歡你所做的事。人不怕天資愚笨，態度才是成功的第一要件。」一個能自動自發的孩子一定會成功的。

希望這本書能讓很多父母知道：天下沒有不可教的孩子，只要有耐心和信心，把教養孩子放在生活的第一順位，隨時把握機會教導他，他自然會成長成像穎卿兩個女兒那樣既懂事又乖巧，自己會上進，不要父母操心的國家棟梁了。

用愛學習生活

任何一本書經得起時代的考驗就一定有它存在的價值，基本上，它所代表的價值就是我們所謂的人生道理。《愛・生活與學習》（*Living, loving & learning*, 中譯本遠流出版）能在競爭這麼激烈的市場中脫穎而出，再版一次，表示它已經通過眾多讀者的考驗，如書的封面所說，是一本可以傳家的經典了。

作者來自窮苦的義大利移民家庭，但是他父母的樂觀，生活不因窮困而減色。尤其母親對他影響非常大，他能寫出《愛・生活與學習》這本書，背後的支柱就是母親深厚、源源不斷的愛。當我看到母親要他穿他姐姐的大衣去上學（男生多半不肯穿女生的衣服，寧可受凍也不肯穿），他正要說：「媽，我不要穿——」時，母親說：「只要很有尊嚴的穿上它，別人就不敢嘲笑你。」的確，只要頭抬得高高的，很有尊嚴，誰敢笑你？

中國以前也是一樣，父母常告誡孩子衣服破舊沒有關係，只要漿洗得乾乾淨淨，就沒有什麼好羞慚的，因為窮，你沒有辦法，但是保持乾淨，你有辦法，那是操之在己。我父母常說，窮沒有關係，但要窮得有骨氣。作者的母親是個了不起的女人，即使家無隔宿之糧，她都能使家庭充滿歡樂的氣氛，她以身教讓孩子看到正向積極進取才是人生的態度，也因為她的孩子充滿安全感，所以作者敢於對陌生人先伸出友善的手，先釋出善意。看到書中作者描寫他跟母親的互動，忍不住喝采，有這樣的母親，孩子怎麼會得憂鬱症呢？

書中每個故事都意義深遠，尤其最後一個故事最令人感動。作者在亞歷桑納一家又髒又小的餐館叫了一客豬排，因為做得非常好，所以他要求和大師傅見面。侍者馬上緊張起來，問：「有什麼不對嗎？」我們平常要求見大師傅都是要抱怨，很少是獎勵。就像老師找家長多半是告狀孩子不乖，很少是誇獎一樣。我們都習慣於認為做好是應該，做不好要被罰，很少像作者一樣想到要稱讚好的行為。

果然大師傅聽到誇獎非常的驚訝，目瞪口呆，手足無措之餘，居然冒出一句：「你還要再吃一點嗎？」最後一句是使我最感動的地方，一個小人物被人誇獎了，這是從來沒有的經驗，不知該如何回答，情急之下，冒出他心裡的話：「你還要再吃一點嗎？」已經吃過了，怎麼還吃得下呢？但是從這裡看到故事的真實性。廚師會這樣說，因為這是一個被誇獎的行為，人會不由自主的再去做，以期再得到誇獎。

誇獎常使一個本來不起眼的孩子放出光彩，尤其從來不曾被人誇獎過的人，第一句誇獎更是重要。我念大一時，母親住院開刀，那時我姐姐已經去了美國留學，下面的妹妹仍在中小學，因此主中饋的責任就落在我肩上。父親是個很懂得吃的人，母親的手藝又極好，我很怕燒不好，讓父親難以下嚥。我每天清晨就去菜場轉來轉去（那時還沒有超市，家庭主婦是每天上傳統市場的），不知煮什麼來取悅父親。最後決定煮獅子頭，因為不容易出錯，同時也是爸愛吃的菜。

我買了荸薺以及所有我看過母親放進去的材料，回家去戰戰兢兢做了一個下午，當我端出去時，因為我家吃飯是遵循孔子說的「食不言、寢不語」，沒有人說話。我看不出別人臉上表情，就很沮喪的回廚房洗碗。這時爸爸走進來，拍拍我的肩膀說：「難為你了，燒的跟你母親的一樣！」我從此每天燒這道菜，母親住院一週，我就燒了七天獅子頭。現在回想覺得很幼稚，但這就是因為每個人都渴求別人誇獎的緣故。

這本書在很多地方點出人性，提醒我們只要你真心感覺到就可以說出來，不必捏造杜撰，但也不必刻意壓抑。因為真心話永遠不會傷害任何人，哪怕是勸誡的話，只要態度誠懇，出自你對他的關心，別人一樣感動。

這也是我一直認為「天下沒有不可教的孩子」的原因之一，要教一個人，他一定要先接納你，你的話才聽得進去，當一個學生恨老師時，老師上課講得再天花亂墜都沒有用。真心對待一個學生，他畢業很久都會回來看你。這本書講的都是生活中微不足道，你認為不必講別人就應該知道的事，但是作者告訴你講出來又何妨？讓別人高興一下，讓他看到他自己的價值，這不是一件很有意義的事嗎？

現在的社會越來越冷漠，住在公寓，上不著天，下不著地，人也像公寓一樣懸在半空中，失去了腳踏實地的純樸敦厚的感覺。我回台以後，一直在尋找我小時候那種「鄰居家就是你家」，互助互惠、同村協力的感覺，但是一直沒找到，感覺失落了一個很重要的東西，卻又不知如何彌補。

我慢慢了解為什麼這本書在二十一世紀後工業時代會再版，人在物資充裕後，追求的便是心靈的滿足，每個人都渴望著桃花源的純樸社會：早上，小孩子呼朋引伴的去上學，大人互道早安，鄰居燒了好菜會分一點過來讓你嚐嚐……。其實這種生活仍在我們能力之內的，只要像作者一樣，從愛出發，接納跟你不同的人，學習聽自己內在的聲音、相信自己，付諸行動，就能創造你自己的生命。如果錯了，沒有關係，再來一次就好，只要記得「沒有一個地牢比心牢更幽暗，沒有一個獄卒比自己更嚴酷」，就不會跟自己過不去。

放開心胸，接受生命給你的挑戰，你也會像作者一樣，有個充滿陽光的人生。

第6篇

家與國

要享受民主，你要盡
民主社會公民的義務；
要享受自由，你要盡
自由社會公民的責任。
如果不參與，下次就不可以批評
做的人，因為你已經棄權了。

1 你有筆如刀，我有心似鏡

家與國

看過最近故宮展出的雍正皇帝文物之後，我感慨萬千，展出的雍正與我所知的完全不同，那種感覺就像早期留學生在台灣接受一套中國近代史，到國外發現又有一套完全不同的歷史。你不知道什麼是真、什麼是假，有一種被人愚弄卻找不出誰愚弄你的感慨。

「他人有寶劍，我有筆如刀」，許多歷史改編成戲劇、說書和評彈後，真相就扭曲了，真正「身後是非誰管得，沿街聽唱蔡中郎」，蔡伯喈可能沒那麼壞，但是《趙五娘》一唱，他就變成天下第一薄倖郎。曹操其實是一代英雄，但是在京戲中永遠是塗著白臉的壞人。我小時候看戲，有老人家看到曹操出來就吐他口水。

武俠小說中的雍正陰險狠毒，「血滴子」讓人一聽就毛骨悚然，但是文物展覽中的他卻完全不是這樣。他批的奏摺看了令人感動，憂國憂民，幾十萬字，一字一字自己寫。邊疆不靖，夜不能眠，但是國庫空虛不能打仗，因為打仗打的是後方的糧草補給。中國的吏治一向黑暗，「三年清知府，十萬雪花銀」，連賑災的糧，分到災民手中還不到十分之一，這樣的貪官怎能不殺？他在給田文鏡的摺子中寫道：「朕就是這樣的漢子，就是這樣的秉性，就是這樣的皇帝。爾等大臣若不負朕，朕再不負爾等也。」看他整頓吏治令人熱血沸騰。

岳飛為什麼要說「文官不愛財，武官不怕死」？中國積弱不振，就是因為官場太黑暗，中國官場一向有「四救說」：救官不救民，救大不救小，救生不救死，救舊不救新。人民的苦，坐在廟堂吹冷氣的人哪裡知道呢？雍正在做皇子時曾經到民間辦過差，所以了解人民的苦，才會大刀闊斧的整頓。整頓自然就會被人抹黑污蔑。

看起來一個人是什麼樣的人其實沒有關係，只要會包裝就好，反正黑白由人寫。莎士比亞不是也把理察三世寫得跟雍正一樣壞嗎？

莎翁的劇本《理察三世》是以湯瑪斯・摩爾（Thomas Moore）所寫的《理察三世史》為本（曾經有部電影叫《良相佐國》〔*The Man for All Season*〕，就是講摩爾的故事），誰知這個宰相居心不良！理察三世並沒有駝背跟跛腳，但是為了醜化他，硬把他寫成鐘樓怪人。《時間的女兒》（*The Daughter of Time*，中譯本臉譜出版）這本書的作者約瑟芬・鐵伊（Josephine Tey）發現，莎翁說被理察三世謀殺的兩個小王子也並沒有死。因為莎翁的筆，理察三世背了幾百年的黑鍋。

「真相是時間的女兒」，雍正等了三百年，終於等到水落石出。在展出的《悅心集》（雍正龍潛時所抄錄之詩歌）中有一首：「終日奔波只為飢，才方一飽便思衣。衣食兩般皆具足，又想嬌容美貌妻。娶得美妻生下子，恨無田地少根基。買得田園多廣瀾，出入無船少馬騎。槽頭結了騾和馬，嘆無官職被人欺。縣丞主簿還嫌少，又要朝中掛紫衣。若要世人心裡足，除是南柯一夢回。」從這裡可以一窺真正的雍正。

文人筆如刀，能不叫人感慨？

2 參與：主動積極的做事態度

台灣最近連續兩次補選投票率都很低，它反映著是選民的冷漠、不參與。這種態度很令人憂心，美國的詹森總統（Lyndon B. Johnson）在一九六四年曾說：「真正的自由社會是一個全民參與的社會，不是一個由旁觀者所組成的社會。自由最深層的意義在於參與，全心全意、熱情與理性的參與。」因為參與才會有體驗，有體驗才會有感動，有感動才會有內化，被內化的感覺才是真正的價值觀，它指引著我們的行為。

這正是為什麼當記者問比爾•蓋茲的父親他怎麼教出這麼成功的孩子時，他沉默了一會兒後說：「參與。在場、出席、參與，是所有一切的開始。」他說他盡量參與他三個孩子的活動，不論是演講比賽或是棒球練習，他都盡可能排開事情參與，因為沒有參與就沒有了解。沒有了共同的經驗，就沒有共同的回憶，以後會沒有共同的語言可談。當父子無話可談時，父親也就不能影響孩子了。其實，政治更是如此，人民必須參與政治才會有理想的社會出現。

「參與」是做事的態度，適用在生活所有的層面，它代表主動積極，不是坐著等待別人分配。要人民主動參與，必須給人民主動參與的動機，那就是使命感。美國前國務卿鮑爾（Colin Powell）說：「使命使人力爭上游。在政府機關中，執政者的理念一定要先明確說出來，使它變成執行者的使命，上令才會下達。使命必須貫徹到組織的各個層級，讓每個公務員都了解政府在想什麼。使命必須清楚、直截了當、簡單易懂。最重要的是，使命必須可以達到、讓執行者可以完成。一個政府只有得到所有人民的信任，人民才會追隨你。」他這段話很正確，一個政府若要有領導力，它的組織一定要了解核心使命是什麼，知道了、了解了，才會去實踐。而且組織必須完成使命，不然就像沒有舵的船，無所適從。一個成功企業的老闆每天都會問他的員工：我們是誰？該做什麼？為誰服務？政府又何嘗不是？

使命是北極星，指引你的每個行動，現在社會的一般大眾缺乏這個指引，所以才會覺得前途茫茫。我們的公務員如果也缺乏這個指引，就會演變成只有靠閣揆每次震怒才辦得了事的現象。

天下沒有白吃的午餐，想要文明的社會，我們就得盡文明的義務，那個義務就是參與、不置身事外。要享受民主，你要盡民主社會公民的義務；要享受自由，你要盡自由社會公民的責任。如果不參與，下次就不可以批評做的人，因為你已經棄權了。

3 家與國

先興利，後除弊

最近去參加了一場晚宴，慶祝朋友歷劫歸來。三年前他去做系主任時，大家都力勸他不可，因為那個系是有名的難纏，大老很多，派系惡鬥，我們怕他出師未捷身先死。他也不想接，但是校長三顧茅廬，不得不接。系裡的人都等著看好戲，看他新官上任三把火怎麼燒，我們都替他捏一把冷汗。想不到三年匆匆過去，他竟圓滿的下任了。

原來他用的是「先興利，後除弊」的策略。利興了，同仁高興了，系務會議的反對聲音小了，系務就容易推動了。系務一動，有成效出來，評鑑分數高了，大老就沒有過去那麼囂張。等他掌握三分之二的票數後，他就開始改革，把弊除去後，系中氣氛祥和了，新人也敢進來了。

其實他成功的關鍵在他化解了系中的小圈圈、次團體。

有部老電影叫《浩劫餘生》（*Planet of the Apes*），在拍攝這部電影時，導演堅持所有演員不戴面具，所以每個人的臉都要上乳膠，貼毛髮，變成猿類，需要很長的時間化妝（當時好萊塢其他片廠都找不到化妝師，因為全被網羅來這裡了）。在等待上妝時，演員三三兩兩聚在一起聊天，白人跟白人、黑人跟黑人、墨西哥人跟墨西哥人在一起聊。但是等到化完妝，全都變成大猩猩、黑猩猩和紅毛猿時，他們就不再因族裔而聚在一起，這時，黑猩猩跟黑猩猩在一起，大猩猩跟大猩猩在一起，紅毛猿跟紅毛猿在一起了。

人會很自然的靠近他認為跟他自己相像的人，只是沒想到物以類聚竟是如此的「膚淺」，只要表面的相似就認同了。難怪成功的人不跟以前的朋友來往，因為穿著不同了，看起來就不一樣了。他利用這點，使大家產生凝聚力，一團結就好辦事了。

他的先興利、後除弊令我感慨良多，不知有多少英雄都是死在先除弊上。其實弊就像病一樣，醫生要開刀之前會先評估病人身體狀況，如果身體太弱，會先打補針等紅血球夠多了才動刀。有些病，如果身體調養好，不吃藥也會好。「弊」可以隨「利」而自動消失。一件事要成，利一定要大於弊。

最近美國有個醫生就提倡從利去弊。過去醫生都是說吃什麼會得癌症、吃什麼會得心臟病，要忌口，這不可吃、那不可吃，讓人覺得活著沒什麼意思，只要是好吃的，都對身體不好。這個腫瘤科醫生告訴病人只要吃得對，許多蔬果裡有抑制血管生長的因素，可以用吃來餓死癌細胞，他列出一堆可以吃的好吃食物，如草莓、葡萄等，民以食為天，人生就沒有那麼乏味了。

台灣一向是著重除弊，常常為了除弊而因噎廢食，什麼事都不敢做，生怕圖利他人。其實圖利老百姓有什麼不對呢？利大了，弊就不在乎了。應該從正面來看事情，鼓勵官員把利做大，不要為了除弊，綁著國家不能往前走，錯失了良機。

4

家與國

如果把故宮做大

一位美國教授寫信給我說他女兒在大學學了三年中文，現要來台灣驗收她學習的成果，請我照顧一下。

我見到她時忍不住問：既然學的是簡體字，為何不去用簡體字的地方而來台灣？她說她是學藝術史的，知道中華文物收藏最好的地方是我們的故宮，百聞不如一見，所以選擇台灣；同時，台灣的自行車道在國際很有名，她想騎單車環島，親身體驗台灣之美。

的確，還有什麼比在溫暖的冬陽下，騎著車，悠哉的欣賞台灣鄉間的美景更吸引人呢？花東山水之美不輸瑞士，但是少了冰天雪地。騎自行車既強身又娛樂，還環保。看起來台灣的自行車觀光真是大有可為。

十天後，她曬得黝黑的回來了，對台灣的美食與人情味讚不絕口。因為騎車，她看到了許多坐在遊覽車中呼嘯而過所漏掉的細節：我們的原生物種非常多，台灣植物和鳥類的多樣性讓她驚豔，她說台灣是賞鳥的天堂，隨便在路上就看到很多平常看不到的鳥（所以也可以鼓吹這類的觀光）；另一個她覺得緊急的是她看到小花曼澤蘭蔓延的危機，她說只有靠發動學生勞動服務，用螞蟻的精神（我們叫「人海戰術」）一人扯一把，把它扯掉，不然植物會窒息；她的第三個問題令我驚訝了，她問：我們的故宮有什麼樣的措施來防範豪雨和土石流？

原來她去參觀了地震博物館，又了解到台灣可以一天下一年的雨量，還會走山，所以一看到故宮後面的山坡就馬上想到這些珍貴的世界級寶藏的安全。我聽了很慚愧，常去故宮卻從來不曾想過這些問題。替她打聽後，很高興知道故宮的周院長早已請專家鑑定過，後山只有少數需要補強之處；另外，除非水淹過下面的山門，不然故宮是安全的。

臨走前她告訴我，她比較過世界上各個國家重要藝術館的館藏，覺得我們的故宮是最好、最多的，她覺得這麼珍貴的人類遺產應該好好保護，使後代子孫可以永遠看得見。她說唯一遺憾的是展出品不及她預期的多，許多在書上看到的古物字畫都沒有看到，她問，既然展出品只佔收藏的十分之一不到，為何不把故宮蓋大一點，讓全世界的人都能盡情的欣賞中國藝術之美呢？

這真是問到了問題的核心，也是我每次帶外國友人參觀故宮時的感嘆。故宮是我們炎黃子孫最大的驕傲，也是台灣觀光最大的賣點，但是受限於空間，沒有辦法把它吸睛的能力展現出來。常聽到外國人說：「啊，故宮，可以不必去，上次來台看過了。」我好想說，你沒有看過，我們還有很多很多是你做夢都不曾想到的寶貝。

故宮的收藏品是我們五千年文化的精髓，它應該是一幢有氣魄、莊嚴、可以凝聚民族向心力的中心。建國一百年了，我們是應該有個像樣拿得出去，讓我們可以抬起頭來大聲說：「這就是我們的故宮」的地方了。

5

家與國

教育是最厲害的武器

九一一事件九週年前夕，美國有位牧師在鼓動民眾燒《可蘭經》，對這種會引起種族仇恨的事，我非常的恐懼，因為在歷史上，最殘忍的殺害是宗教殺害，最持久的戰爭是宗教戰爭。

其實九一一事件其來有自，美國自阿富汗撤兵後，沒有幫助阿富汗人民復建，就這一點疏忽種下了二十年後的大禍。因為當時整個阿富汗在美、俄兩強武力決鬥之後，到處斷壁殘垣，沒有一間學校和醫院是好的，蘇聯曾經大肆轟炸阿富汗，想用這種方法迫使阿富汗屈服，等到蘇聯覺悟到打不贏時，阿富汗已經沒有一塊磚是完整的。因此，在兩強撤出的中空期間，伊朗和沙烏地阿拉伯的伊斯蘭基本教義派就乘機在阿富汗成立了一萬所伊斯蘭學校，專門教導仇恨。

一年級的學生在學字母時，課本是這樣教的：J是聖戰（jihad）的J，這是我們生命的目標；I是以色列（Israel）的I，它是我們的敵人；K是卡拉希尼克夫步槍（

kalashinikor）的K，它是幫助我們打贏敵人的武器；M是伊斯蘭聖戰士（Mujahedeen）的M，他是我們的英雄，T是塔利班（Taliban）的T……。這真是非常可怕，從小學一年級就開始灌輸「美國是最邪惡的撒旦」這種仇恨觀念。

他們連數學課本的題目都是戰爭，阿富汗的小學生不是算蘋果加梨子是多少，而是子彈和卡拉希尼科夫步槍，如「小歐馬有一枝卡拉希尼科夫步槍和三個彈匣，每個彈匣裡有二十發子彈，他用了三分之一的子彈殺了六十個不信教的人，他的每一顆子彈各殺幾個不信教的人？」像這樣的課本被灌輸到幾百萬個兒童大腦中時，怎麼會不發生九一一事件？

很多人不了解教育的重要性，不願投資在教育上，其實教育才是最厲害的武器，因為它改變人的思想，而思想主導行為。美國如果當時幫助阿富汗復建、替他們蓋學校和醫院，或許現在不是這樣。

最近有一位退休的國中校長，給我看以前歷史課本和現在的不同，他很擔憂自從扁政府去中國化以後，歷史上的典範人物都不再教了，孩子不知誰是文天祥和岳飛，因為他們都是中國人，跟台灣沒關係。

他曾請他的學生寫出他心目中代表「禮義廉恥」的四個人物，結果大部分的學生寫不出來。他很沉痛的說：禮義廉恥是國之四維，學生連一個人的名字都說不出時，國家要怎麼走？未來在哪裡？我看著他老淚縱橫，心中也非常感嘆，沒有給孩子人生的典範、生活的目標、生命的意義，能怪他們為了一隻手機就去出賣身體，或所學非所用的去做 show girl 嗎？

教育的目的在為學生出社會做準備，現在是講究團隊的社會，對團體品德的要求更甚以往，一個沒有禮義廉恥觀念的人，課業成績再好企業也不要用，因為那是「養老鼠咬布袋」。我們現在教育的方式完全跟社會需求背道而馳。既然掌握教育就掌握了國家的命脈，為什麼還不把所有的資源投入教育呢？

家與國

6 以芬蘭為師

天下雜誌出版了《芬蘭的一百個社會創新》（*The One Hundred Social Innovation From Finland*）一書，由實際參與芬蘭崛起的政府首長和國會議員，親自動筆寫下他們當時的想法和做法，因此這本書非常有啟發性。從這本書中，我們可以歸納出三個國家興起的原因：一、政治透明化，二、投資在教育和文化上，三、培養人民的愛心、公德心和自尊心。

芬蘭政治的透明化杜絕了貪腐，因為國會的一切發言、一切記錄都攤在太陽下，讓選民自由觀看，做為下一次是否選他的參考。這個透明化使議員竭誠為選民服務，污垢無處可藏。

芬蘭教育的成功已經被廣泛討論了很多次，在此不贅言。教育的成功其實要有很多的配套措施，例如：芬蘭政府對學生住宿的照顧，就學貸款的提供，不但使本國的學生安心讀書，也使很多的外國學生前來做交換學生。

芬蘭目前是歐盟國家中交換學生人數最多的，交換學生的好處一時看不見，很多人以為是浪費公帑，其實它的效益是長遠的：它使文化交流，增加國與國人民之間的了解，打開學子的胸襟，同時它也是一種政治投資，一旦這個學生回到他本國掌權執政時，他對曾經留過學的國家都會有好感，比較親近。早期伊朗曾派很多留學生去美國留學，回國後都當上了部長官員，他們的政策自然是親美而不會親蘇。我們當年也曾大量資助僑生來台受教育，這些學生回去僑居地後，成為親台的僑領，幫助政府外交。

芬蘭教育成功的另一個配套措施就是圖書館的普及性，在寒冷的冬天甚至不必出門借書，圖書館可以送書到府。「十九世紀的財富在土地，二十世紀的財富在勞力，二十一世紀的在腦力」，新知的獲取絕對是國家競爭的本錢，當人民都有閱讀的習慣時，國家的競爭力自然上升。

第三個原因與文化有關，也是最難學的一項。芬蘭人自尊心很強，戰後芬蘭要還俄國一大筆他們認為並不公平的戰敗國債，為了還這筆債，每個芬蘭人都努力工作，為了還債，芬蘭人發展出立即可食的香腸，全國吃香腸節省吃飯用餐的時間，把債還清。

芬蘭人民有愛心，在他們自己生活都還很窮困時，大部分的公民都每月固定捐出薪水的百分之一做公益，幫助國內外比自己更窮的人。這點非常不容易，看到報上登七億二千萬的新台幣堆起來有那麼高時，心中更是感慨。

芬蘭有很多活動是民間發起，民間執行，全國五百萬人口中，竟然有八萬多個非營利組織。這些活動豐富了芬蘭人的生活品質，提升了他們的情操。人民不怕繳稅，只要這稅金是用在正確的地方，就像美國的公路旁常有一個牌子：「Your tax money is at work.」，看到公路平坦，四通八達，物暢其流，繳稅時的痛就減輕了很多。

所以政府只要做對的事，路遙知馬力，日久見人心，人民最後是感激的。我們現在需要政府放手去做對的事，我們期待「芬蘭能，台灣更能」。

7

家與國

牢記大自然的威力

古人說「前事不忘，後事之師」，偏偏人是健忘的動物，別人的苦難若非親眼所及，常常過眼即忘。

這是為什麼歷史上戰爭連綿不斷，在安逸中長大的下一代對耳聞的戰爭殘酷很快就忘記，加上人的記憶是選擇性的，對不利自己的記憶常選擇遺忘。遺忘在演化上是有原因的，只不過這原因不是大偵探福爾摩斯說的「記憶像個閣樓，塞了太多無用的東西，有用的就擠不進去了」，而是人必須忘記不愉快的事情才活得下去。

記憶太好的人，生活是痛苦的，所以大自然給我們健忘這帖藥，以撫慰我們的心靈。因此也就有像勾踐為了要復國臥薪嘗膽，時刻提醒自己不要因為時間過去，而忘記亡國的恥辱。

工業革命之後，機器取代了人力，使人可以有時間思考和發明，電腦的普及更整個翻新了人類的生活。高速公路、高速鐵路出現，大幅縮短了物理上的距離，但是社會的變遷卻增大了人們心理的距離，變成一道跨不過去的鴻溝。

當耆老不再有時間講古給孩子聽，或孩子不再有心情聽古時，我們需要紀錄片，使人類永遠記住歷史的教訓。孩子必須了解土石流瞬間可以淹沒一個村莊，這種紀錄片需要在課堂中不斷的放給每一世代的孩子看，使這記憶深烙在他們腦海中，讓他們知道一秒的遲疑就是生死的永訣。

心理學上有一種學習叫「一次學習」（one trial learning），凡是跟生命有關的事情一次就學會，因為生命不可逆轉，大自然不允許你犯第二次錯誤。人只有深刻的了解大自然的威力，才不會做出與天抗爭的錯誤政策。水能載舟亦能覆舟，土地養我們亦能埋我們，但是人在種檳榔樹或抽地下水時，常忽略破壞生態的可怕，當大水來時，許多人會誤判水的速度與威力而選擇不逃。

一九五〇年代，伊麗莎白泰勒演過一部電影叫《象宮鴛劫》（*Elephant Walk*），故事描寫象雖是一種溫馴的動物，但是牠力可拔山河，英國人到印度只見象作奴，不曾見過象發威，就不聽耆老的勸說，把莊園蓋在象群遷移的路道上，以為鋼筋水泥可以迫使象群改道，結果大象完全不把圍牆放在眼裡，牠們依照祖先的腳步前進，碰到擋路時，鼻子一推，高牆紛紛倒下，立刻還地於象，而愚蠢到與象爭地的莊主則死於象的踐踏。

人需要常常被提醒自己的渺小，要在大自然中生活是必須與自然共生而不是時時想用科技去征服自然。日據時代及國民政府早期用行政命令強制原住民遷村，忽略他們祖先選擇定居建村的智慧，因此造成後來人口的傷亡。

強烈情緒既然是增進記憶最好的方式，我們就該利用攝影的科技將土石流、水火災的奪命恐怖真實的傳給下一代，使其感同身受後，永遠不再做出違反生命意義的決策。

8 家與國

馬來西亞節令鼓的啟示

鼓是最能激發人心的一種樂器，激昂的鼓聲常使人熱血沸騰，所以不論中外，催戰都用鼓，〈曹劌論戰〉中就有「一鼓作氣，再而衰，三而竭」的話；梁紅玉擊鼓退金兵，跟韓世忠大破金兀朮成為千古佳話。

鼓在中國傳統文化中一直有它的地位，但是西風東漸之後就逐漸沒落了。台灣自「優人神鼓」後，鼓又復興了一些，但是還是很多孩子沒有看過鼓。沒有想到，二〇〇九年馬來西亞宣布華人的節令鼓為大馬國家文化遺產。大馬政府不承認華校的學籍，華文也不能上大馬的電視，卻承認了上面刻有中國傳統二十四節氣的鼓，做為他們的文化遺產，很令人感慨。

節令鼓的由來有著海外華人心心念念不忘祖國文化的感人故事。一九八八年，柔佛州新山的寬柔中學負責中華公會第九屆舞蹈節的開幕典禮，他們想找一種代表中國傳統的藝術，練好了以後，可以在中國的節慶中出去表演，給華人學生一個舞台。他們想到了中國的鼓，擊鼓是門藝術，曹操宴客時就曾叫彌衡擊鼓以娛嘉賓，所以他們便成立了鼓隊，鼓上面用優美的中國書法刻上二十四個節氣：雨水、驚蟄、穀雨、芒種、白露、小寒……這些我們在台灣長大的孩子都不一定說得出的節令，將書法、節令及鼓結合在一起，成了節令鼓。

擊鼓講究默契，每個人動作要整齊劃一、節拍一致，它特別需要專注，這對學生是種很好的訓練。打鼓需要體力，尤其是臂力，所以寬柔中學的鼓隊學生每天要跑操場、做伏地挺身。但學生卻很喜歡，從初中到高中，一練好多年，他們說每次練習就好像家族聚會，有志趣相投的朋友在身旁關心你，苦澀的青少年期很快的就過去了。

這所華校經過二十年的努力，把中華的節令鼓成功的推展出去，成為馬來西亞的文化遺產。

想想我們自己，好像沒有給孩子什麼抒解心情、上台表演的活動，一般的管弦樂團太昂貴，沒有幾個學校或家庭負擔得起。但是鼓隊則不同，大鼓雖然貴，卻是公用，家長不必替孩子買鼓，而且只要有節奏感，幾乎每個人都可以練鼓，是個平民化的樂器。對好動、精力充沛的孩子來說，打鼓又是個很好的發洩多餘體力的方式。尤其節奏感是人的本能（走路就是一種節奏），節奏會活化大腦中的快樂中心，使人不由自主的微笑。

世界所有的民族都有發展出他們文化特色的鼓，我們的阿美族用竹做鼓，我在廣西壯族的博物館看到三千年前壯族人民用藤做的鼓，各個民族都用他生活周邊的材料做鼓，它是文化的一部分。

韻律與節奏是娛樂身心很好的方法，在節令鼓變成馬來西亞的文化遺產後，我們是否也該想一想還有什麼祖先留給我們，還未被外人拿去用的呢？

家與國

9 我們的年輕人需要典範

最近去馬來西亞的僑校作了幾場推廣閱讀的演講，我們開車從中馬到北馬，一路上經過數十個高速公路收費站，我注意到沒有一個收費員是華人。華人佔大馬人口的百分之三十，照說至少要有幾個華人收費員才對，為何一個都沒有呢？我一問，全車立刻安靜下來，最後一位校長說：大馬的公務員多半是馬來人，他們有保障名額，華人不易進去。

原來馬來人有許多優待，同樣的分數，馬來人進了大學，華人卻未必；各種資源的分配也是馬來人優先，包括獎學金、助學貸款，所以海外的華人都很拚，他們不得不如此。

當我在跟一位四年級小朋友說話時，突然聽到回教徒的禱告聲，聲音大到連關上窗戶都沒用，我抱怨說：「又不是所有人都信回教，怎麼可以那麼大聲？」那位小朋友說：「沒有辦法，這裡是馬來西亞。」他那認命的臉色使我想起去美國留學時，父親在機場跟我說：在別人的國家裡要認命，碰到挫折是本分，不要抱怨，不把力氣花在抱怨，才會有時間精力解決問題。我現在才知道父親這句話的背後，其實是他半生在南洋生活的血淚經驗。

華人在海外生存的辛苦，是我們這種在自己國家長大的人不能想像的，難怪國父說華僑為革命之母，沒有在別人屋簷下的低頭經驗，怎麼會去拋頭顱灑熱血，希望自己的國家強起來呢？黃花崗烈士中有許多是南洋華僑，聽說我祖父當年差一點也做了先烈，船要開時，被家人綁了起來，才沒有去廣州革命。

在海外想要讓孩子接受華文教育，真的是很困難。當年僑校若沒有沈慕羽先生，華文教育早就不存在了。沈先生在大馬華人心目中的地位，就像當年陳嘉庚先生在我父親那一輩心中的地位一樣，陳嘉庚先生捐款建立了集美中學、廈門大學，造就了無數華人子弟，我父親就是其中一個。沈老先生也是一樣，他一直為爭取華人的教育權奔波，甚至七十五歲時，還因為反對政府派不懂中文的老師到華校來擔任副校長和主任而被關了兩百多天。

我實在不能想像七十五歲的老人睡一年地牢的情形，難怪他出殯時，有一萬多人來送他，隊伍蜿蜒幾公里。看到追悼會上，他教過的學生穿著「服務一生，戰鬥一世」的T恤，覺得他的人生沒有白走，他替華人子弟殺開一條血路，讓他們今天得以接受中華文化的薰陶。

人一生總要做些有意義的事才好。

人生而無知，很需要典範來模仿和指引。不知為何，現在學校很少教典範，這一代的年輕人已不知道誰是高志航、閻海文，而抗戰才過去不過六十年。最近報上登，竟有學生把連戰列為開國先烈，真是令人啼笑皆非。

沈老先生過去了，後繼的人呢？我們該怎樣才能培養出這種有理想、有風骨、為保存民族文化、千萬人吾往矣的人呢？

10 家與國

全世界會跟著你笑

朋友的孩子回台參加華語夏令營，現在結束要返美了，我帶她去鼎泰豐吃她最愛的小籠包。

在等待座位時我問她：台灣社會給她最深的印象是什麼？她想了一下說：台灣人總是匆匆忙忙不肯禮讓，而且「不愛微笑」，她加重語氣說，就是同棟大樓、同搭電梯都不打招呼。

這孩子果然觀察入微，我剛回台時，早上碰到人會習慣性的微笑打招呼，結果有人瞪我白眼、有人罵我白痴、有人說我自作多情，幾次以後就改掉了這個習慣。但是總是覺得遺憾，因為心情會影響工作情緒，見面打招呼是文明社會的基本禮貌，我們不敢要求像祖魯人那樣說「我看見你了」，對方回答說「我在這裡」，這種患難相助的問候，但是起碼的點點頭、釋出善意也不算是要求過分。

先不說同舟共渡是五百年修的緣，微笑其實是對自己好，尤其反覆的微笑可以使壞心情變好。有個實驗請受試者把鉛筆咬在嘴上，然後做出憤怒的表情，結果發現很難，因為嘴角朝上了，怒氣就上不來。

麥當勞要求員工微笑是有道理的。有實驗證明情緒其實是認知的解釋和評估（這叫做「情緒的認知激發理論」）。孩子摔跤後會先看一下有沒有大人在，如果沒有，他就會自己爬起來，要哭也是一兩聲而已，因為他的認知會告訴他哭沒用，沒人在乎，他就不痛了。

微笑可以刺激大腦迴路、強化人際關係，增加跟別人的互動，而且微笑時全世界會跟著你笑（記得那個啤酒廣告嗎？），人在看到一張微笑的臉時，會不由自主的跟著微笑，因為笑使人安心。達爾文發現天生眼盲，從來不曾見過人笑的孩子，高興時也是張著嘴笑。相反的，皺眉會激發憤怒、厭惡的感覺，甚至只要看到皺眉的臉，心情就不好起來，警戒心也馬上出現。

在演化上，爭先恐後是本能，看到食物自然要爭先，多吃一口，多活一天；遇見敵人當然不能落後，一落單就沒命了。人處在食物鏈的下端，是沒有安全感的，因此人非常注意周遭環境的變化。

有一個實驗說明了人如何容易受到環境的暗示：實驗對象是四十一位大學生，約他們在實驗大樓門口見面，免得他們找不到地方，在電梯裡，實驗者隨意把一杯熱咖啡交給受試者，請他幫忙拿一下，他好掏鑰匙（另一半拿的是冰咖啡）。進到實驗室後，給他們看一個陌生人的履歷，請他們就自傳評估那個人是否聰明、勤勞、務實、謹慎。然後再給他們問卷，評估那個人的人格特質是否外向、害羞等等。

結果發現拿熱咖啡的人給別人比較正向的評價。做完實驗後他們可以選一份禮品送給朋友或自己，結果拿熱咖啡的比較傾向送給朋友。這實驗讓我們看到，一點點溫暖的感覺就會影響我們對別人的態度。

微笑使人產生安全舒適溫暖的感覺，而這感覺使自己變得更慷慨、更值得信賴，在美好的一天開始時，微笑一下吧！

11

家與國

理想和熱情比金錢更持久

二〇〇五年，美國四位經濟學家，兩位來自麻省理工學院，兩位來自芝加哥大學和卡內基美隆大學（Carnegie Mellon University），接受美國聯邦儲備銀行的委託，去印度測試外在誘因，尤其是金錢，對績效的影響：是否薪水越高，表現越出色。

他們知道這筆錢必須高到某個程度才會有效，但是美國生活程度太高，要出到讓受試者動心的程度非一般學者所能負擔，所以他們去印度做這個實驗，因為印度的生活程度低，不必花太多經費就可能完成要做的研究。

他們把八十七名印度人分成三組，一組付他們四盧比（相當於當地一天的工資），另外一組付四十盧比（相當於兩週的工資），第三組付四百盧比（相當於五個月的工資），請他們做九種作業，如記憶數字、解字謎、擲飛鏢，如果到達某個水準就可以領錢。結果發現拿四十盧比的人表現得並沒有比四盧比的好，更令人驚訝的是拿四百盧比的人表現最差，在九種作業中，有八種低於其他兩組。

研究者深感不解，不是「有錢能使鬼推磨」嗎？為什麼不靈了？

二〇〇八年，兩位瑞典經濟學家把一五三名捐過血的人隨機分成三組，請他們捐血。第一組沒有酬勞；第二組可以得到五十克郎（相當於七美元）的報酬；第三組也有酬勞，但是可以選擇要不要把這錢捐給兒童癌症中心。結果第一組有百分之五十二的人願意捐血，第二組只有百分之三十，第三組有百分之五十三的人願意捐血並把錢捐出去。

這兩個實驗都顯示金錢並非萬能，有時反而誤事。捐血本來是個高尚的利他行為，但是一拿錢就變成賣血了。如果捐血可以幫助癌症兒童，人們又願意了。人在吃飽肚皮以後，對精神層次上的要求是大於金錢的。如果凡事只談錢，有時會傷感情。

最近政府提出學術界彈性薪資，最高可到年薪三百萬的計畫，雖然立意良好，但如配套措施沒做好，會變成「二桃殺三士」，反而不美。要知道，美國的薪水是非常私人的事，別人無法知道，台灣的薪資則無法保密。現在這個計畫尚在空中，校園裡就已可感受到騷動，不敢想像實施以後的猜嫉情形。

其實，許多人回台教書並不是為了錢，而是心中有個理想，不願一輩子為他人作嫁。台灣目前教授薪水雖然比不上國外，但是溫飽無慮，與其用錢挽住人才，不如改善台灣的研究環境，如改善計畫報帳流程，使教授覺得被尊重，使時間可以花在研究上，理想得以實現。

從許多實驗的結果看來，金錢對知識分子並不是最好的驅力。使命感、生命的目的、人生的意義比金錢更重要。一九九九年微軟大中華區行銷總監伍德（J. Wood）放棄高薪去尼泊爾做志工，改善當地的教育，就是一個很好的例子。激勵出人的理想和熱情，它的效果會比金錢更持久。

除了彈性薪資之外，鬆綁經費使用的法規，改善教學與研究設施，用大環境的優良來吸引更多有心培育英才的人回國，應該會比加薪更為有效！

12

家與國

經營一個溫暖的家

《嬉皮與喇嘛的孩子》（*Comes the Peace*，中譯本遠流出版）是一本很奇特的書，因為作者的經歷太吸引人了，很少人有作者前半生這樣的人生歷練。書的文字很流暢，聽他娓娓道來，不知不覺進入了他的世界，象憂亦憂，象喜亦喜，跟他起了共鳴，這是這本書最成功的地方。

說實在，我們很少接觸到母語是尼泊爾語和藏語的金髮碧眼喇嘛，更少有六歲就出家，六根清淨、不嗔不怒的修行人從三樓跳下來自殺的。所以本書一開頭就挑動了讀者的好奇心。

但是越看下去越悲哀，因為看到了一個渴望母愛的孤獨靈魂在人海中掙扎。他的母親在他兩歲時出家做了尼姑，把他寄養在尼泊爾人家中。很不幸他的膚色、五官又跟當地人非常不同，變成鶴立雞群，走到哪裡都有人指指點點。他不懂事，還以為寄養家庭的父母就是自己的親生父母，實在可悲。他的母親是個狂熱的宗教份子，自己出家了不說，還強迫孩子出家，自以為是為他好。可憐他清晨五點鐘就得起來，餓著肚子誦經，背不熟還要挨打，每天吃不飽也睡不夠。

十歲時，他因為外曾祖母過世，回到美國奔喪嚐到自由的滋味後，就一直想逃亡，最後，當他終於回美國，在通關時，他發現所有移民都有故鄉，唯獨他沒有，因為從小在不同的家庭長大，不知道哪個家庭是他的根，哪個地方又是他的故鄉。字裡行間處處流露出無根者心靈的空虛及對親情的渴望。

東北採蔘祖師爺孫良在長白山中採蔘時過世，歸天後好幾天才有其他的採蔘人入林發現屍體。他在岩石上留下一張字條，上面寫著「家住萊陽本姓孫，隔山過海來採蔘」，即使要死了，還是要想辦法讓人家知道他是哪裡人氏，可見家鄉對人的重要性。我記得我父親以前讀書讀到「回首望鄉關，何處是兒家」時會很難過，因為父母那一輩遭逢戰亂，顛沛流離，對故鄉有很深的懷念。我們這一輩生長在安定的台灣，只恨自己不趕快長大，迫不及待的上飛機去外面看廣大的世界，哪有什麼故鄉的依戀。

人都是失去了故鄉才會懷念故鄉。我們很幸運是有故鄉的人，從來不曾體驗到作者一身如寄、處處為家處處家的淒涼。最主要是我們有父母，縱然身是飄萍，心是有歸屬的，而作者卻不是，他的父母雙全，卻不知道自己的生身父母是誰。

看到天下有這種父母真是忍不住要口誅筆伐。做父母是有責任的，不是拿錢給寄養家庭就了事。父母創造出一個生命，對這個從己身所出的生命是有教養責任的，要給他一個溫暖的窩，一份別人無法取代的關心和愛護，這是父母欠子女的。最近發生好幾件弒親案，被殺的父親都是沒有盡到做父親的責任，當父不父時，當然子不子了。我們若不能喚起社會大眾對家庭重要性的注意，這種弒親案還會再發生。

很諷刺的是，作者的父母都來自破碎的家庭，他的外公酗酒，外婆自殺，父親這邊則是衣食不周的貧窮猶太人，被鄰居瞧不起。照說，這種父母應該更加疼愛孩子才對，但是他的父母為了追求心靈的寄託而出家，把他當做物品一般隨便寄放在某處。中國以前說父債子還，看了這本書我才發現這個債不見得是金錢債，父母造的孽是會報應到孩子身上的，只是孩子是無辜者，被犧牲了而已。

這本書讓我們看到父母的無知無心過失對孩子的傷害，也更讓我們了解孩子固然是上天給我們的恩賜，我們何嘗不是上天給孩子的恩賜呢？父慈才會子孝，家庭是社會的根本，我們給孩子最好的禮物便是為他經營一個溫暖的家，這個甜蜜的童年回憶會是他人格的基石，像作者的太太一樣，縱然生長在物質缺乏的印度難民營，但是家庭團結和睦，即使受到美國牧師性侵，仍然能勇敢的站出來控告他。

我們要的不就是這種堅強個性的孩子嗎？如果是，就請從他小時候做起，好好地愛他吧！

13

家與國

一無所有的滿足

我一直以為「寧靜致遠」是修身養性、品格方面的形容詞，從來沒有想到它有生活上的真實性，在我看到《曠野的聲音》（*Mutant Message Down Under*，中譯本智庫出版）一書後，才發現寧靜的確可以穿透時空的阻隔，達到前所未有的境地。

當你把所有人為的東西（珠寶、首飾、衣服、鞋子）統統都拋下，以你最初來到人間的本色去體驗大自然時，你就會聽到風要告訴你的話，看到雲要傳給你的訊息，聞到遠處水的氣息，你就能赤手空拳在沙漠中生活了。

《曠野的聲音》非常令人震撼，最主要是作者瑪洛・摩根（Marlo Morgan）是跟你我一樣在大都市，所謂「文明社會」中長大的人，她能跟著澳洲原住民一起在滾燙的沙漠中行走，沒有任何文明的配備而活了下來，表示你我也有這種可能性，這是我們從來不敢相信的。我們從來沒有想到當拋離一切文明，沒有太陽眼鏡，沒有防曬油，沒有 Nike 鞋，赤著腳在沙漠中遊蕩時，你身體裡祖先傳給你的本性會再度躍出，讓你用幾百萬年前祖先生活的方式，在這地球上生存下去。

這正是為什麼本書的英文名字叫「Mutant Message Down Under」，我們以為已經沒有了的本能在層層文明外衣之下，仍然存在。當然，書名的另一個原因是原住民給瑪洛取的名字是Mutant，澳洲在南半球，從北半球人的觀點來看，澳洲是down under，這個書名有很多層意義，很有趣。

當瑪洛赤著腳在滿是荊棘的地上走，芒刺扎進她的腳，使她無法行走時，原住民跟她說「現在你只有忍耐，忘掉腳上的疼痛吧，學會忍耐，把注意力轉到別的地方。」「忍耐」「把注意力轉到別的地方」這是多麼好的處世之道，人是動物，受到大自然的規範，在大自然中哪有處處順利的事？動物出來覓食，找得到食物是福氣，找不到是本分。我們看到大自然中所有的動物都很有耐性，獅子在潛行追蹤獵物時，貓守在老鼠洞口等待時，都知道最後的勝利是屬於有忍耐力的一方。

只有人類沒有耐性，人類稍不如意便怨天尤人，以致憂鬱症越來越多，自殺變成人類死亡的十大原因之一。過去心理動力學派治療憂鬱症病人，是要他們把憤怒發洩出來，後來發現越發洩越糟糕，本來是小怒，大吼大叫發洩完後，生理反應使小怒升級為大怒，對身心更不利。

忍耐，把注意力轉移到正向的事情上，原是現代治療憂鬱症的方法，想不到竟然從澳洲原住民嘴裡說了出來，我們才發現它原來就是我們祖先能夠生存下來，把基因傳到我們身上的不二法則。現在想一想，有多少事，如果當事人忍一忍風波就能過去，世界會少了多少戰爭，人間會少死多少人命。

瑪洛發現每天黃昏紮營時是部落人最快樂的時光，他們講故事、唱歌、跳舞、玩遊戲、談心。他們互相搓揉肩膀、背部。靈長類學家發現猿類黃昏時的「梳理」（glooming）也是牠們最快樂、最寧靜的時光，只可惜現代人每天無事忙，全台灣竟只有不到四分之一的家庭可以全家坐下來一起共進晚餐。

人際互動、肢體接觸本是動物情緒發展的必要條件，然而文明的社會為了追求物質的享受，犧牲了心靈的需求，憂鬱症變成了現代瘟疫。但是在一無所有的原住民身上，卻保有人類最初始的快樂：互信、互動、互助。瑪洛提到部落人沒有醫療設備，但是他們的壽命卻很長，心靈的平靜與滿足應該是他們長壽的原因之一。

另一個原因應該是飲食簡單純樸，瑪洛說原住民的大餐是用樹枝到樹叢中去挑、去掏，然後用一片樹葉托著美食，再用一片樹葉蓋著，放進火裡烤，她好奇打開樹葉一瞧，美食原來是條蛆，她從此學會不再說「永不」（never）。

很早以前，南中國海有次船難，有十七個人飄流到澳洲北部達爾文港附近，登陸後因不知身在何處，便往內陸走，結果大多數人飢渴而死，最後獲救的是個中國人，他說他去腐木中找蛆吃，白人看到嚇壞了，寧死不肯吃。他記得小時候聽過大人說晉朝的石崇宴客，有道美味的菜是別的有錢人怎麼也燒不出來的，有個客人好奇，偷潛入廚房去看用的是什麼肉這麼香滑可口，只見石崇的大師傅拿個盤子到廁所去，用力拍打掛在廁所的一塊腐肉，落下許多蛆，原來這個人間美味是蛆。他想起了這個故事，知道蛆是可以吃的（是蛋白質），於是硬著頭皮吃了，結果就活下來了。

其實一切都在我們一念之間：覺得是蟲，就噁心不敢吃；覺得是大自然賜的蛋白質，就可以安心的吃。所以瑪洛說他們每天出發行走前，必先禱告，感謝上天將要賜給他們的食物。他們也絕不多取，既然是上天的恩賜，有吃就好，怎可多要？瑪洛這一路上吃過甲蟲、螞蟻、白蟻、青蛙、蛇、食蟻獸，任何他們遇見的動物。有時早上或中午找不到東西吃，她就把路上的風景當成饗宴，在石頭上、在天空中都看到隱藏的圖畫，用這個方法來忘記飢餓。

原住民沒有時鐘、手錶，山中固然無歲月，但是他們有他們計時的方式，他們以唱歌的方式來測量距離和時間，一百句歌詞的，五十句歌詞的，就像中國古代的銅壺滴漏或民間所說的一盞茶功夫、一炷香的時間，一樣可以達到計時的目的。

瑪洛說澳洲原住民排斥書寫的語言，因為他們認為那等於丟棄記憶的能力，我很驚訝的發現，二千年前蘇格拉底也是如此說：「字母的發明使學習者的心智產生遺忘，因為他們已經不再需要用到記憶了，他們交給外在的書寫文字而不再用記憶來記。「不同的時空，不同的民族，竟然講出一樣的話，它使我有「古人不見今時月，今月曾經照古人」那種時空交錯的感覺。

跟原住民在一起生活久了以後，瑪洛開始懂得珍惜，凡事不再視為理所當然，幾口清水可以紓解乾渴，任何食物都有滋味。她這一生無時無刻不在煩惱的如何保有工作、如何討好老闆、如何投資發財、如何儲存退休老本，在澳洲的沙漠中這一切都不存在了。部落民族唯一保障是日出日落永無休止的大自然循環，而這個最沒有安全保障的民族，卻是最沒有罹患胃潰瘍、高血壓和循環系統毛病的民族，它就是三千年前左傳「顏斶說齊王」中的「歸真返璞，終身不辱」的同樣意思。只要是真理，古今中外不論民族、文化，看到的都是一樣。

這本書給我最大的震撼是，人竟然可以這樣一無所有的活而且活得這麼滿足。人只要不去計較雞毛蒜皮的小事，心一放開，「美」就進來。瑪洛本來最討厭蛇，但是在沙漠中看到一窩蛇，有兩百條之多，都有拇指粗，鑽來扭去，如果是過去，她一定驚恐大叫噁心而逃，但是現在她感恩，因為這些蛇的存在是提供旅人的食物，保持自然界的平衡，任何食物中所含的水份都是極其珍貴的。

他們晚上躺在沙漠中睡覺，圍成雛菊形狀，腳趾相接在圓圈中心，這樣能使有限的獸皮發揮出最大的保暖效果。在星空下，她感受到這些純潔天真充滿愛心人身上所發出來的氣息，他們的「無」使他們無時無刻不在碰觸全人類的意識，不需語言而能相互溝通，他們無所求，故無所不在。

我們渴望這樣的社會，一個互信互助、各盡所能、各取所需的社會，在經過這麼多年選舉的暴力語言後，對這種心靈的平靜特別嚮往。「寧靜致遠」不再是一句話，它是可以改變一個人的行動力。這本書在物慾橫流的現在社會像一股清流，讓我們眼睛一亮，心胸自然變大。

人是百代的過客，應求此生的目的與意義，就像達文西說的：「充實的一天帶來好眠，充實的一生帶來安息。」但願每個人都能體會到瑪洛所送出的訊息，不忮不求充實的過一生。

14 憶母親

家與國

我母親過世了，享壽八十九歲，朋友勸我節哀，都說母親是福壽雙全。我不知道她對她的人生滿不滿意，只知道她很遺憾外公沒有讓她多讀書，她在福州女中念高二時，寒假回家過年，被我外公嫁掉了。她常說她若讀書，絕對不會只是個家庭主婦而已。母親在親友間的外號叫「博士」，是個什麼都會的人：針黹女紅、水電馬桶都會，連我父親蓋房子時，她也可以去幫忙，因為她會看藍圖。她常說「人只要肯學，沒有什麼學不會的事」，我們都非常佩服她。母親的快手快腳是有名的，六個小孩中，只有我遺傳到她的快，可惜我的快是「快嘴」，想必她是很失望的。

母親生於民國十一年十一月十一日，我們對她的童年不太清楚，因為小時候，家中食指繁浩，父親一個公務員的薪水要養活十個人（六個孩子加上外公、外婆），所以母親家事之外還得養雞、養番鴨來補貼家用，根本沒有時間坐下來跟我們閒話家常。她常常在講《西遊記》給我們聽時，講到一半，太累就睡著了，推也推不醒，逼得我在小學三年級時就學會看《西遊記》，在母親睡著後，接下去講給下面的妹妹聽。

我們對她的童年往事有些了解是在她第一次中風之後：母親醒來後講的話我們聽不懂，原以為是中風神智失常的關係，直到小舅飛來看她，我們才知道她講的是雲南的土話。外公當時在雲南的鳳儀縣做縣長，母親和比她小兩歲的小舅跟著奶媽講鳳儀話，母親第一個會講的字是「象」，家裡有養大象，還有象奴。母親童年過得應該很快樂，因為她跟小舅說話時滿是笑臉。

後來外公調回福建做首席檢察官（小時候聽到別人稱外公「葛首席」都覺得很奇怪，外公的名字明明不是這樣），母親在福州上學，開始講福州話。母親很有語言天分，到哪裡講哪裡的話，我們算了一下，她會六種方言，可惜我們也沒有遺傳到她那方面的天分。

我的外公非常節儉，早上配稀飯的花生米裡面摻有小石頭，使孩子不能大口吃（咬到石頭的痛可是一輩子也忘不掉的）。他一直告誡我們菜是配飯的，要省省的配，大口吃菜叫做「挑草進城門」。外公省下的錢都匯到家鄉（福建上杭）置產，但是共產黨一來，什麼都沒有了。外公得了這個教訓後，從此不買房子，只信任可以帶著跑的東西。我考上大學時，他給我一條金鍊子，叫我掛在脖子上，但藏在衣領下（因為財不露白），急難時可變現。他告訴我，逃難時，錢是你唯一的朋友。我很幸運，這條金鍊子在我脖子上掛了四十年，因還沒逃過難，還沒去變賣。

外公每天給我母親和小舅兩枚銅板吃飯，但是小舅念初中，在成長快速的這個階段兩枚銅板吃不飽，所以母親常把自己的口糧省下來給舅舅吃。我母親很會打毛衣，可以一邊上課，一邊在桌子底下偷打，眼睛不需要看的。舅舅想穿毛衣，但是沒有錢買毛線，母親就打兩個袖口，套在手腕上，從袖子裡露出一點，讓人家以為裡面有穿毛衣。母親盡量給舅舅所有他要的東西，舅舅也不負她所望，做到美國俄亥俄州西方儲備大學電機系的系主任。

母親第二次中風後，八十多歲的小舅不辭辛苦，頻頻飛回台灣看她。母親過世前已不能說話，但一口氣不肯嚥，我們都猜不出她還有什麼心事未了，後來是小妹想到舅舅曾經答應母親六月要來看她，就跟母親說舅舅不能來了，因為他自己也在開刀。母親聽見了，因為她的眼睛突然睜得很大，轉頭看了窗外很久，第二天清晨母親就過世了。兄弟姊妹感情好到這種地步也是罕見，舅舅對我們也非常好，我們去美國留學都受到舅舅的照顧，想來是愛屋及烏的關係。

我父親比母親大了八歲，當時在外公手下做法官，外公覺得這個年輕人吃苦耐勞、勤奮好學，又跟他一樣的節儉（我爸寫狀子時，把袖子捲起來，免得手肘在桌上磨把袖子磨破），就把女兒嫁給他。外公常說「大富由天，小富由人」，他覺得我爸以後一定會有錢，這點他沒有看錯，但是他沒想到我父親家是種田的，母親嫁過去以後要挑水、下田，下雨天還要擦番薯簽，一不小心皮就被擦掉一塊。母親說出嫁前她不曾打過赤腳，但是下田是不能穿鞋的，所以後來她很反對我跟我先生結婚，因為兩家背景不同，怕我會吃她當年的苦。幸好我在美國結婚、又住在美國，只回過婆家三天，不必下田。

我爸跟我外公都最怕人遊手好閒，常跟我們說「金山銀山，坐吃山空」，要我們每一分鐘都不可以浪費，我到現在六十多歲也停不下來，不知是否小時候養成的習慣。父親用錢只用錢尾，錢頭要存起來，但是父親的錢尾跟我們想的不一樣，假如說今天拿到一〇九二元，我們以為可以花九十二元，錯，只能花二元。因為只要超過十位數都是錢頭，所以拿到十塊錢的話，那就沒得花了，因為個位數是零。我媽常說我爸雖然不是外公生的，可是得到外公的真傳，幸好我媽是外公養的，兩人才可以相安無事六十年。現在人不容易過他們那種節儉的日子，夏天從不開冷氣，爸說：「心靜自然涼。」

我父母不曾給過我們零用錢，但是書包中都有一塊錢，緊急時可以打電話回家。後來我兒子在台灣念書，我也在他鉛筆盒中放一塊錢，給他打電話。我記得那時突然想到，過了這麼多年，打電話還是一塊錢，居然沒有漲價，覺得台灣生活也不差。其實我們現在的生活比起我父母那一輩，不知好了多少，但是人都喜歡抱怨，很少去看自己已經擁有的，所以現在人雖然豐衣足食，反而不及父母輩快樂。我媽常說「沒有因果，不生娑婆世界」，我們如果抱怨，她就跟我們講當年她生我大姊，才一天，日本人打來了，只好爬起來抱著孩子逃難的故事，叫我們要知足才會常樂，從這裡想，或許母親對她的人生是滿意的。

母親走了，她像舊時的女子一樣，除了孩子沒有留下什麼，但是坐在這裡守靈，我覺得她的一生應該也很值得。她經歷過中國的大苦大難：逃過日本人、也逃過共產黨，但是她也看到了日本投降、三通後我們又可以回去祭祖了。

父母的身教是子女品德的來源，說起來，女子對國家可能比男子還更重要，因為女人負有生兒育女、相夫教子的重任，沒有孟母，就沒有孟子，愚魯的母親養不出賢慧的子女。父親的勤儉、母親的「沒有學不會」的態度，使我們六個女兒在社會上都能克勤克儉的做好自己的本分，並努力把她的身教傳到下一代去。

我們把母親安葬在春秋墓園跟父親一起，相信爸會很高興，因為他們結褵七十年，除了住院，兩人不曾分開過。媽一天不念爸，爸一天不舒服。我現在才知道，有人嘮叨也是一個福氣。

國家圖書館出版品預行編目(CIP)資料

理所當為：成就公平正義的社會／洪蘭著.
-- 初版. -- 臺北市：遠流, 2011.05
面；　公分. --（大眾心理館；409）
（洪蘭作品集；9）（講理就好；9）

ISBN 978-957-32-6779-9（平裝）

1. 言論集

078　　　　　　　　　　100006327